〈みなさんへ——この本のねらい〉

「ことばは力。」

現代子どもと教育研究所　下村　昇

　物をよく覚え、知識を得るためには、「ことば」をよく知ることが大切です。そのためには、なんといっても文字を知ることが必要です。文字を知ればいろいろな本を読むことができますから、物の見方・考え方も身につきます。本からは自分の知らないことばも教えてもらえますし、読む楽しみも増えます。

　この本には、小学校で習う漢字（ことば）の大もとの意味が出ています。読めない漢字や、意味の不確かな漢字に出会ったら、この本を調べてみてください。そうすればいっそう国語の

下村 昇 先生

東京学芸大学卒業。「現代子どもと教育研究所」所長。漢字・国語教育のほか、子どもの教育文化全般にわたり活躍中。『下村式 小学漢字学習辞典』『下村式 小学国語学習辞典』『下村式 となえて書く漢字ドリル漢字練習ノート(学年別・全6巻)』『ドラえもんの学習シリーズ』など、著書多数。

「漢字」の力がつきます。漢字には豊かな表情があるので、漢字を勉強することはとても楽しいと、私はいつも思っています。

漢字の力はことばに強くなるもととなのです。

漢字の歴史は古く、だれがどんな考えで作ったものかわからないものも多いのです。いろいろな漢字学者がいろいろな考え方を出していますが、これが正しいというものは決まっていません。そこで皆さんのために、漢字の意味と変化とがわかりやすく、楽しく読めるように、絵と説明に工夫がしてあります。

漢字にはすべてふりがながつけてありますので、いつでも、どこでも、何回でも、繰り返し読んで勉強に役立ててください。

力がつき、国語の力をつけるための重要な勉強のひとつである

もくじ

◆ みなさんへ——この本のねらい …… 2

◆ プロローグ 漢字をおぼえる方法!? …… 6

◆ この本の見方 …… 21

◆ 1年生で習う漢字（80字） …… 22

◆ 2年生で習う漢字（160字） …… 44

- ◆ 3年生で習う漢字（200字）……86
- ◆ 4年生で習う漢字（200字）……138
- ◆ 5年生で習う漢字（185字）……190
- ◆ 6年生で習う漢字（181字）……240
- ◆ 音訓さくいん……288

この本は、すでに発売されている『ドラえもんの国語おもしろ攻略　歌って書ける小学漢字1006』と漢字の収録ページ数をそろえています。この本にのっている漢字は、『歌って書ける〜』にも同じページにのっています。歌っておぼえる学習法（口唱法といいます）にも興味があったら、ぜひご一読することをおすすめします。

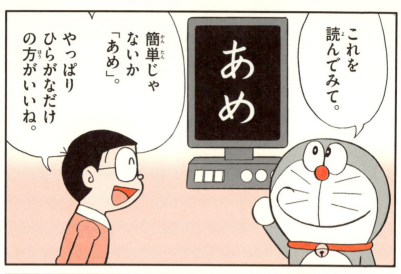

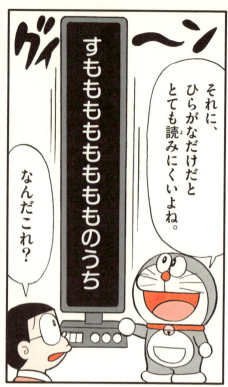

漢字はもともと意味を表す絵が変化した「表意文字」といって、意味を表す文字なんだ。

たとえば「雨」を見てみると…。

雨の絵が……

変化して……

雨の絵が漢字になった！

だけど、英語の文字・アルファベットは「表音文字」といって意味を表しているのではなくて、音を文字に表しているんだ。

(14)

これは2年生で習う「もん」という漢字。

両開きのとびらの形からできたんだ。

そして、しっかり閉めてある門のすきまから、太陽の光がもれてるということから、

「間」は「あいだ・すきま」という意味になったんだ。

耳は音が入ってくる門ということで「聞く」という意味になったんだよ。

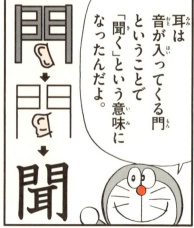

もしかしたら門に耳をつけて、中のようすを聞いている形からこの字ができたかもしれないね。

この本の見方

漢字のもとの絵です。途中変化して、現在の漢字になっていくようすをあらわしています。漢字のもとの形には、いろいろな説がある場合がありますが、みなさんが理解しやすい、おぼえやすい形で表現しています。

字の元の絵の解説。

絵から生まれた、漢字のもとの意味と現在の意味の解説。

この漢字を習う学年。

字にちなんだまんがや、字にまつわるおもしろい知識やクイズなどをのせています。

4年【カ～カ】

木の枝に熟したくだものがなっている形。

木にくだものがなっている形から「くだもの」の意味をあらわす。また成長の終わりということから「はて・終わり・結果」の意味もあらわす。

画数 8
オン カ
くん はたす はてる はて

果

現在の漢字です。

字の画数、音読み、訓読みを紹介しています。音読みはカタカナ、訓読みはひらがなで表記していて、送りがなは赤い字で書いてあります。
＊がついているのは特別な読み方、（ ）に入っているのは、中学校や高等学校で習う読み方です。

(21)

●1年生の漢字もくじ●
（80字・アイウエオ順。同じ読みの場合は画数の少ない順）

一 右 雨 円…24	王 音 下 火…25
花 貝 学 気…26	九 休 玉 金…27
空 月 犬 見…28	五 口 校 左…29
三 山 子 四…30	糸 字 耳 七…31
車 手 十 出…32	女 小 上 森…33
人 水 正 生…34	青 夕 石 赤…35
千 川 先 早…36	草 足 村 大…37
男 竹 中 虫…38	町 天 田 土…39
二 日 入 年…40	白 八 百 文…41
木 本 名 目…42	立 力 林 六…43

右手と、口の形。

ごはんを食べるときに食べものを口に運ぶほうの手のことから「みぎ」の意味になった。

「右」の反対はなあに？
29ページ

- 画数 5
- オン ウ・ユウ
- くん みぎ

ひとさし指をのばした形で「いち」をあらわした。

ドラえもんが一ばん！

- 画数 1
- オン イチ・イツ
- くん ひと・ひとつ

かこいと、円いしるしと、貝の形。

昔、貝がお金の代わりだった、それが円くなり、国中の人の手をまわったことから、「まるいもの、おかね」の意味をあらわした。

昔だったら大金もち。

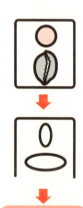

- 画数 4
- オン エン
- くん まるい

空から雨が降っている形。

たれ下がった雲から雨が降っている形で「あめ」をあらわした。

「雨」のつく字をさがしてみよう。
雪・雲・電

- 画数 8
- オン ウ
- くん あめ・*あま

1年【イ〜エ】

(24)

1年【オ〜カ】

針の形と、口の中から何か出ている形。

針はしんとよみ、心(しん)に通じ、心で思っていることが口から出たことで「おと・こえ・おんがく」をあらわす。

画数 9
オン オン・(イン)
くん おと・ね

おのの形。

おの(武器)を持って戦いに勝ち、天下を自分のものにした人ということから「おうさま」の意味をあらわした。

(ジャイアンさまだ。 オレは)

画数 4
オン オウ
くん

もえている火の形。

火がもえさかっている形で「ひ」をあらわした。

火をつかった字をさがしてみよう。
灰・炭・災

画数 4
オン カ
くん ひ・(*ほ)

空をあらわす線の下に点をかいた形。

よこ線より下にあることから「した」の意味をあらわした。

下の反対は？
33ページ

画数 3
オン カ・ゲ
くん した・しも・さげる・くだる・おろす・(もと)

たから貝の形。

たから貝の形で「かい」をあらわした。たから貝はめずらしい貝で、お金の代わりにもつかわれた。

「きれいな貝ね。」

↓

貝

- 画数 7
- オン
- くん かい

草の生えている形と、人がさかさまになった形で「変化する」こと。

美しい花がさいてすがたが変わることから「はな」の意味をあらわす。

【なぞなぞ】草のおばけはなあんだ?

↓

花

- 画数 7
- オン カ
- くん はな

1年【カ〜キ】

息が出る形と、お米の形。

寒いときはく息のように、たいたお米から出る気体「ゆげ」のこと。

「たべながらわらわないでよ…。」「がはは。」

↓

気

- 画数 6
- オン キ・ケ
- くん

ものを習うたてものの形と、子どもの形。

子どもがものを習う場所から「べんきょうする・まなぶ」という意味をあらわす。

「べんきょうはにがてだよ。」

↓

(×)

↓

学

- 画数 8
- オン ガク
- くん まなぶ

(26)

1年【キ〜キ】

人と、木の形。

人が大木の横によりかかって「やすむ」という意味。

- 画数 6
- オン キュウ
- くん やす**む**
  　　 やす**まる**
  　　 やす**める**

ひじを曲げた形。

行き止まりという意味のうでを曲げる形で、1の位の最後の数字「きゅう」をあらわした。

- 画数 2
- オン キュウ・ク
- くん ここの
  　　 ここの**つ**

山の中に、金がまじっている形。

山からとれる「きん」、それをおかねにも使ったので「おかね」の意味もあらわした。

- 画数 8
- オン キン・コン
- くん かね・*かな

宝石をひもでつないだ形。

宝石の形で「たま」の意味をあらわした。

「王」という字と区別するために「ヽ」をつけた。

- 画数 5
- オン ギョク
- くん たま

(27)

月の形。

太陽と区別するために、三日月の形で「つき」をあらわした。

「夕」も見てみよう。

- 画数 4
- オン ゲツ・ガツ
- くん つき

ほら穴の形と、天井の形。

ほら穴の中には何もないことから、「から」という意味、また地上の何もない空間である「そら」をあらわした。

- 画数 8
- オン クウ
- くん そら / あく・あける / から

人の上に大きな目のついた形。

大きな目だまで「めにとまる・みる」をあらわした。

- 画数 7
- オン ケン
- くん みる / みえる / みせる

イヌの形。

前足を上げたイヌの形で「イヌ」をあらわした。

- 画数 4
- オン ケン
- くん いぬ

1年【ク〜ケ】

1年 [コ〜サ]

口

口の形。

人や動物の「くち」や「あな」の意味をあらわした。

- 画数 3
- オン コウ・ク
- くん くち

五

かた手の指を全部のばして「ご」をあらわした。

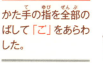

- 画数 4
- オン ゴ
- くん いつ / いつつ

左

左手と、ものさしの形。

工作をするとき、じょうぎを持つほうの手のことで「ひだり」をあらわした。

「左」の反対なあんだ？ 24ページ

- 画数 5
- オン サ
- くん ひだり

校

木の形と、足を組んでいる形で「交わる」こと。

木を組み合わせて作ったカセという道具のこと。また先生と子どもが交わって勉強するたてもののことから「がっこう」の意味もあらわす。

- 画数 10
- オン コウ
- くん

(29)

1年【サ〜シ】

山

遠くから見た山の形。

3つのみねをかいて「やま」をあらわした。

本当の山でないものは？
① 洗濯物のやま
② 試験のやま
③ やまびこ
（答えはページの下）

- 画数 3
- オン サン
- くん やま

三

指を3本のばして「さん」をあらわした。

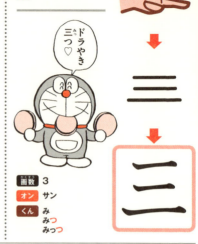

- 画数 3
- オン サン
- くん み・みつ・みっつ

四

両手の指を2本ずつ出して「よん」をあらわした。

二と二で四。

- 画数 5
- オン シ
- くん よ・よつ・よっつ・よん

子

赤ちゃんの形。

産着にくるまれた赤ちゃんから「こども・赤ちゃん」の意味になった。

- 画数 3
- オン シ・ス
- くん こ

【答え】：②

(30)

1年 [シ～シ]

字

家のやねの形と、子どもの形。

家に子どもが生まれて増えるように、字から字が生まれるので「もじ」の意味になった。

日本語を書く4種類の文字とは？
（答えはこのページの下にあるよ。）

- 画数 6
- オン ジ
- くん （あざ）

糸

糸の形。

たばねた糸の形で「いと」をあらわした。

- 画数 6
- オン シ
- くん いと

七

5本の指と2本の指をかさねて「なな」をあらわした。

- 画数 2
- オン シチ
- くん なな
  なな つ
  *なの

耳

人の耳の形。

人の耳の形で「みみ」をあらわした。

- 画数 6
- オン （ジ）
- くん みみ

(31) 【答え】：ひらがな、カタカナ、漢字、ローマ字

手の形。

5本の指を広げた手の形で「て」をあらわした。

- 画数 4
- オン シュ
- くん て・(*た)

車の形。

両側に車りんがついた車で「くるま」をあらわした。

- 画数 7
- オン シャ
- くん くるま

1年【シ〜シ】

足の形と、始めに立っていたかかとのあと。

始めに立っていたところから、足が少し出た形で「でる・だす」をあらわした。

- 画数 5
- オン シュツ・(*スイ)
- くん でる だす

10本の棒を束ねた形で「じゅう」をあらわした。

- 画数 2
- オン ジュウ・ジッ
- くん とお と

(32)

1年 [シ〜シ]

小

小さい点を3つかいた形。

3つの点で「ちいさい」という意味をあらわした。

画数 3
オン ショウ
くん ちいさい・こ・お

女

女の人が座っている形。

手を前に組んで座るやさしい姿から「おんな・むすめ」をあらわした。

なんて読む？
女神　王女

画数 3
オン ジョ・(ニョ)・(*ニョウ)
くん おんな・(め)

森

木を3つならべた形。

木がたくさんしげっているようすから、手入れのゆきとどいていない「もり」をあらわした。

画数 12
オン シン
くん もり

(33)

上

空をあらわす線の上に点をかいた形。

よこ線の上にあることから「うえ」という意味をあらわした。

「上」の反対は？
24ページ

画数 3
オン ジョウ・(*ショウ)
くん うえ・*うわ・かみ・あげる・のぼる

【答え】：めがみ　おうじょ

川の中の水の動きの形。

川の中を流れる水で「みず」をあらわした。

「川」「州」も見てみよう。

- 画数 4
- オン スイ
- くん みず

横向きの人の形。

人の形で「ひと」の意味をあらわした。

人の正面の形は「大」だよ。

- 画数 2
- オン ジン・ニン
- くん ひと

土を押しわけて、芽が出てきた形。

土の中から芽が出てきたようすで「いきる・うまれる・はえる」の意味をあらわした。

早く大きくなってね。

- 画数 5
- オン セイ・ショウ
- くん いきる・うまれる・はえる・なま・（おう）・（き）

目標をあらわす線と、足の形。

目標にピタリと止まることで「ただしい・ちょうど」という意味をあらわした。

「止」のできかたも見てみよう。
61ページ

- 画数 5
- オン セイ・ショウ
- くん ただしい　ただす　まさ

1年【シ〜セ】

(34)

1年【セ〜セ】

夕

月が山の上に半分出た形。

日がしずんで、月が少し出た形で「ゆうがた」の意味をあらわした。

「月」も見てみよう。

画数 3
オン (セキ)
くん ゆう

青

青い草の形と、井戸の形。

青々とした草と、すみ切った水の色から「あお」の意味をあらわした。

画数 8
オン セイ・(*ショウ)
くん あお
あおい

赤

人が大きくて足を広げて立っている形と、火がもえている形。

大きく火がもえていることで、そのときの色「あか」をあらわした。

ぼくの赤のはなも。

画数 7
オン セキ・(*シャク)
くん あか・あかい・あからむ・あからめる

石

がけの下にころがっている石の形。

がけから落ちてきた大きな石で「いし」をあらわした。

あぶない！

画数 5
オン セキ・*シャク・(*コク)
くん いし

(35)

1年【セ〜ソ】

川

両岸の間を水が流れている形。

水が流れている川の形から「かわ」をあらわした。

- 画数 3
- オン （セン）
- くん かわ

千

人の形にぼうをかいた形。

よこむきの人の足のほうに横ぼうをひとつ入れて「せん」という意味をあらわした。

大昔は、人に横ぼうを2本かいて「2千」という意味の字もあった。

- 画数 3
- オン セン
- くん ち

早

太陽の形と、草の芽が土から出た形。

太陽が草の上に出た形で、日の出の早い時間ということから「はやい」の意味になった。

ねるの早いなあ。

- 画数 6
- オン ソウ・(*サッ)
- くん はやい
  はやまる
  はやめる

先

むこうへ行く足の形と、歩いている足の形。

人が歩くとき、最初に足が出るので「さき・はじめ・まえ」の意味をあらわした。

「正」という字も見てみよう。34ページ

- 画数 6
- オン セン
- くん さき

(36)

1年【ソ〜タ】

足の形。

足全体の形で「あし・あるく」ことをあらわした。

どうせぼくの足は短いよ！

画数 7
オン ソク
くん あし
　　たりる
　　たる
　　たす

草の生えている形と、お日さまが草の上に出た形で「早」。

朝早くからのび出しどんどん生えてくる「くさ」のこと。

【クイズ】
草ー艹（草冠）＝？
答えは
36ページ左下。

画数 9
オン ソウ
くん くさ

人が手と足を大きく広げた形。

両手両足を大きく広げた形で「おおきい」ことをあらわした。

「大」の反対は？
33ページ

画数 3
オン ダイ・タイ
くん おお
　　おおきい
　　おおいに

木の形と、手の形に「―」のしるしをつけたもの。

手の形に「―」のしるしをつけたものは、指一本のはばをあらわし「ちょっと」のこと。木がたくさん生えているところではなく、木が少しのところに人が住んだことから「むら」をあらわした。

画数 7
オン ソン
くん むら

(37)

1年【タ〜チ】

たけの葉の形。

ささ竹の形で、「たけ」をあらわした。

↓

↓

[竹馬の友]＝おさな友だち
[竹をわったような性格]＝さっぱりした性格

- 画数 6
- オン チク
- くん たけ

田んぼの形と、うでの力こぶの形。

田んぼで力を出してはたらく人から「おとこ」の意味をあらわした。

↓

↓

「男の中の男だぜ。」
↓

- 画数 7
- オン ダン・ナン
- くん おとこ

ヘビの形。

まむしというヘビの形から、小さな生きもの「むし」の意味で使われるようになった。

↓

↓

虫だけでなく、貝類、は虫類なども、虫という字であらわされることがあるよ。

- 画数 6
- オン チュウ
- くん むし

コマの真ん中をしんぼうが通っている形。

真ん中をつらぬき通した形で「ちゅうしん・なか」の意味をあらわした。

↓

↓

- 画数 4
- オン チュウ・ジュウ
- くん なか

(38)

1年【チ〜ト】

天

空と、人が立っている形。

人の頭の上に広がっているものの意味で「てん」をあらわした。

天丼の「天」はなんの天？

画数 4
オン テン
くん （あめ）・*あま

町

田んぼの形と、いっぱいになってあふれている形。

田んぼにはあぜ道があり、その道にたくさん家がたって「まち」の意味をあらわした。

画数 7
オン チョウ
くん まち

土

木や草が芽を出している地面の形。

土の中から植物の芽が出てくることで「つち」をあらわした。

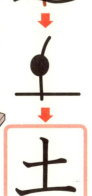

画数 3
オン ド・ト
くん つち

田

田んぼの形。

田んぼを遠くから見た形で「たんぼ」をあらわした。

イネをつくる水田の形。はたけは畑という字だよ。

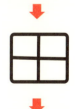

画数 5
オン デン
くん た

(39) 【答え】：てんぷら

太陽の形。

太陽の形で「太陽」をあらわした。太陽のほかに「1日・日にち」のこともあらわす。

これ読める?
今日　明日　昨日

- 画数　4
- オン　ニチ・ジツ
- くん　ひ　か

2本の指で「に」をあらわした。

二人はなかよし。

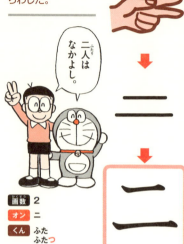

- 画数　2
- オン　ニ
- くん　ふた　ふたつ

1年 【ニ～ネ】

イネの形と、イネをかりとる人の形。

タネをまいてから かりとるまでを1年のひとめぐりとしたことから、「とし・いちねん」の意味をあらわした。

【反対語】
年小 ↔ 年長
年下 ↔ 年上
年末 ↔ 年始

- 画数　6
- オン　ネン
- くん　とし

ほら穴の形。

穴の入り口で「はいる」という意味をあらわした。

おふろに入るのが大好き。

- 画数　2
- オン　ニュウ
- くん　いる　いれる　はいる

【答え】：きょう　あす　きのう

(40)

1年【ハ〜フ】

八

両手の指を4本ずつ出して「はち」をあらわした。

↓

八

↓

八

- 画数 2
- オン ハチ
- くん や・やっ・やつ・*よう

白

太陽の光がさしている形。

太陽の強い光から「しろ」をあらわした。

太陽の出ているときを「白日」ともいうよ。

↓

白

↓

白

- 画数 5
- オン ハク・(ビャク)
- くん しろ・しろい・*しら

文

人のからだに絵や字などのもようをかいた形。

からだにかいた絵から「もよう・かいたもの」の意味になった。

↓

文

↓

文

- 画数 4
- オン ブン・モン
- くん (ふみ)

百

ひとさし指の形と、太陽がかがやいている形。

太陽が何日もずっとかがやいていることでたくさんの意味を持たせ、数字の「一」を合わせてたくさんの数「ひゃく」の意味になった。

百聞は一見にしかず/何度も話に聞くよりも、自分でいちど見るほうがよくわかるということ。

↓

白

↓

百

- 画数 6
- オン ヒャク
- くん

(41)

木の根もとにしるしをつけた形。

木の根もとにしるしをつけて「もと・おおもと」の意味をあらわした。

【根本】＝いちばん大切なおおもと。

- 画数 5
- オン ホン
- くん もと

木の形。

根をはり、枝を広げている木の形で「き」をあらわした。

ひみつ道具で話せるようになったキー坊だよ。

- 画数 4
- オン ボク・モク
- くん き *こ

1年【ホ〜モ】

人の目の形。

人の目の形をたてに変えて「め」をあらわした。

「見」も見てみよう。28ページ

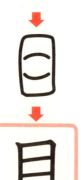

- 画数 5
- オン モク・(*ボク)
- くん め (*ま)

月が半分出てきた形と。口の形。

月が半分出た形は夕方のこと。暗くなって顔が見えないので、名前をよび合うことから「なまえ」の意味になった。

ぼくの名前はのび太。

- 画数 6
- オン メイ・ミョウ
- くん な

(42)

1年 〔リ〜ロ〕

力

うでの力こぶの形。

うでに力をいれると力こぶができることから「ちから」の意味になった。

- 画数 2
- オン リョク・リキ
- くん ちから

立

人が立っている形と地面の形。

両手両足を広げて地面に立っている形で、「たつ」という意味をあらわした。

- 画数 5
- オン リツ・(*リュウ)
- くん たつ
  たてる

六

両手の指を3本ずつ出して「ろく」をあらわした。

- 画数 4
- オン ロク
- くん む
  むつ
  むっつ
  *むい

林

木をふたつならべた形。

木がむらがって生えていることから「はやし」をあらわした。

【林立】たくさんのものが立ち並んでいるようす。

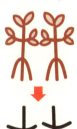

- 画数 8
- オン リン
- くん はやし

2年生で習う漢字

●2年生の漢字もくじ●
（160字・アイウエオ順。同じ読みの場合は画数の少ない順）

引羽雲園…46	角楽活間…50	近兄形計…54	光考行高…58	矢姉思紙…62	場色食心…66	前組走多…70	通弟店点…74	肉馬売買…78	毎妹万明…82
遠何科夏…47	丸岩顔汽…51	元言原戸…55	黄合谷国…59	寺自時室…63	新親図数…67	太体台地…71	電刀冬当…75	麦半番父…79	鳴毛門夜…83
家歌画回…48	記帰弓牛…52	古午後語…56	黒今才細…60	社弱首秋…64	西声星晴…68	池知茶昼…72	東答頭同…76	風分聞米…80	野友用曜…84
会海絵外…49	魚京強教…53	工公広交…57	作算止市…61	週春書少…65	切雪船線…69	長鳥朝直…73	道読内南…77	歩母方北…81	来里理話…85

鳥の羽の形。

鳥の羽を2本ならべて「はね」をあらわした。

- 画数 6
- オン （ウ）
- くん は
  はね

→ 羽

弓の形と、弓のつるの形。

弓のつるを引いて矢を飛ばすことから「ひっぱる・ひく」の意味をあらわした。

↓

↓
引

【反対語】
引き算↔足し算

- 画数 4
- オン イン
- くん ひく
  ひける

かこいの形と、ふところにものを入れている形。

くだものや花などをとられないように、ふところにかくすような気持ちで、かこむことから「くだものや花などの畑・にわ・その」の意味をあらわす。

↓

↓
園

- 画数 13
- オン エン
- くん （その）

空から雨が降っている形と、雲の形。

雲は、雨を降らせるものということで雨と雲の形から「くも」をあらわした。

↓

↓

雲

「雨」のつく字をさがそう。
雪・電

- 画数 12
- オン ウン
- くん くも

2年【イ〜エ】

(46)

2年【エ〜カ】

人が荷物をせおっている形。

人がせおっている荷物の中身がわからないことから「なに？」の意味になった。

「なん」と読む場合
何度・何時・何年生

画数 7
オン （カ）
くん なに
＊なん

道と足の形で「道を歩く」ことと、着物のふところにものを入れた形。

ふところにものを入れて遠くへとどけに行くことから「とおい」の意味になった。

しんにょう（⻌）は、しんにょうともしんにゅうともいうよ。

画数 13
オン エン・（＊オン）
くん とおい

お面をつけておどっている人の形。

夏祭りでうかれておどることから、「なつ」をあらわした。

画数 10
オン カ・（＊ゲ）
くん なつ

イネのほがたれている形と、ものをはかるますの形。

こく物をますではかって、種類をわけることから「くわけ」の意味になった。

似ている字
「料」
187ページ

画数 9
オン カ
くん

(47)

口からいきがスースー出ている形と、口を大きく開けている人の形。

口を大きく開けて声をはり上げることから「うたう」の意味になった。

「欠」のついている字をさがそう。
次・欲

画数 14
オン カ
くん うた
　　 うた(う)

↓

↓

家のやねの形と、ブタの形。

昔、ブタは家の財産だったので「いえ」の意味になった。

画数 10
オン カ・ケ
くん いえ
　　 や

↓

↓

2年【カ〜カ】

うずをまいている形。

グルグルまわるうずの形から「まわる」の意味をあらわす。

画数 6
オン カイ・(*エ)
くん まわる
　　 まわす

↓

↓

田んぼの境い目を作った形。

田んぼに区分けをして、境いをつけることから「くぎる・しきる」の意味になった。

画数 8
オン ガ・カク
くん

↓

↓

(48)

2年【カ〜カ】

海

水の形と、草が芽を出した形と、おかあさんの形。

草は母親のようにつぎつぎ子どもをふやす。川もいくつもわかれ、それが広がり、海になった。そして海は万物を生み出す母だということから「うみ」をあらわした。

画数 9
オン カイ
くん うみ

会

人があちこちから集まってくる形と、かさなり合った形。

人が集まって、かさなり合うようだということから「あつまり・であう」という意味になった。

【反対語】
開会 ↔ 閉会

画数 6
オン カイ・(エ)
くん あう

外

月が半分出た形で「夕」と、カメのこうらをやいてできたひびの形で「うらない」のこと。

夕方にうらないを行うことはあまりないことだったので「はずれている」、またひびはこうらの表面にできるので「そと」という意味もあらわす。

画数 5
オン ガイ・(ゲ)
くん そと・ほか
　　はずす
　　はずれる

絵

糸をたばねた形と、集まるしるしとかさねる形。

いろいろな色の糸を集めてかさね、おりものに、もようをつくったことから「え・えがく」の意味になった。

画数 12
オン カイ・エ
くん

(49)

台の上に楽器がおいてある形。

楽器を使って音楽をかなでたり、それで神を楽しませたりしたことから「おんがく・たのしむ」の意味になった。

画数 13
オン ガク・ラク
くん たのしい
     たのしむ

けもののツノの形。

動物の「つの」や、とがったものの「かど」をあらした。

画数 7
オン カク
くん かど
     つの

2年【カ〜カ】

門のすきまから日の光がさしこんでいる形。

すきまから光がさしていることで「あいだ・すきま」の意味をあらわした。

「門」も見よう。83ページ

画数 12
オン カン・ケン
くん あいだ
     ま

水の形と、くちびるからつき出た舌の形。

ペロペロとさかんに動く舌のように、さかんに動く水のことから「いきいきしている」という意味をあらわす。

画数 9
オン カツ
くん

(50)

2年〔カ〜キ〕

岩

山の形と、石の形。

山にあるごつごつとした石のことで「いわ」の意味をあらわした。

似ている字「岸」94ページ

- 画数 8
- オン ガン
- くん いわ

丸

からだを丸めて大事なものをかかえこむ人の形。

品物をかかえてかがみこむ形から「まるめる・まるい」の意味をあらわした。

- 画数 3
- オン ガン
- くん まる / まるい / まるめる

汽

水の形と、はいた息の形。

水の気体になったもので「水じょうき」をあらわす。

- 画数 7
- オン キ
- くん

顔

おしゃれをしている人と、あたまの形。

一人前になったしるしとして、顔に、もようをかいたり、けしょうをしたりした。そこから「かお」をあらわした。

- 画数 18
- オン ガン
- くん かお

帰

道の形と、ほうきの形。

道をそうじしたあと、ほうきを持ってもどることになるから「かえる・もどる」の意味になった。

画数 10
オン キ
くん かえる / かえす

記

「言」と、人がひざを曲げた形。

ひざをついて人の言ったことを書き取っていることから「書きしるす」の意味になった。

「言」も見よう。55ページ

画数 10
オン キ
くん しるす

牛

ウシの顔の形。

つのにとくちょうのあるウシの顔の形から「ウシ」をあらわした。

この顔か…。

画数 4
オン ギュウ
くん うし

弓

弓の形。

矢をいる弓の形で「ゆみ」をあらわした。

「弓」を使った字をさがそう。
引・強・張

画数 3
オン (キュウ)
くん ゆみ

2年【キ〜キ】

(52)

2年【キ〜キ】

京

岡の上にたつりっぱなたてものの形。

洪水や湿気のない高台に身分の高い人が住みつき、そこを中心に都市ができたので「みやこ」の意味になった。

- 画数 8
- オン キョウ・(ケイ)
- くん

魚

魚の形。

魚をたてにかいて「さかな」をあらわした。

- 画数 11
- オン ギョ
- くん うお / さかな

教

交わるしるしと子どもの形と、手にむちを持った形。

おとなと子どもが入りまじり、むちでたたくようにきびしく教えみちびくことから「おしえる」の意味をあらわした。

- 画数 11
- オン キョウ
- くん おしえる / おそわる

強

弓のつるをはずした形と、マムシの形で「虫」。

弓に使うつるは、カイコという虫からとる糸にまつやにをぬって強くしたところから「つよい・つよめる」の意味になった。

【反対語】
強い ⇔ 弱い

- 画数 11
- オン キョウ・(ゴウ)
- くん つよい / つよまる / (しいる)

(53)

口の形と、歩いている足の形。

先に生まれて歩けるようになり、口でさしずする人から「あに」の意味をあらわした。

- 画数 5
- オン *キョウ・(ケイ)
- くん あに

道と足の形で「道を歩く」ことと、おのと木の形。

木を切る音が聞こえるので行ってみたらすぐそばだったということから「ちかい」の意味になった。

【反対語】
近い ↔ 遠い

- 画数 7
- オン キン
- くん ちかい

2年【キ〜ケ】

「言」と、ものを集めてひとつにしている形。

ばらばらのものを集め、数を言うことから「数える・はかる」の意味になった。

「言」も見よう。
55ページ

- 画数 9
- オン ケイ
- くん はかる
  はからう

四角いわくの形で「かたどる」ことと、美しいかざりの形。

美しい形をかたどることから「かたち」の意味になった。

いろんな形の手作りクッキーよ。

- 画数 7
- オン ケイ・ギョウ
- くん かた
  かたち

(54)

2年【ケ〜コ】

言

針の形と、口の形。

針はしんと読み、心（しん）に通じ、心で思っていることを口から出すことで「いう・ことば」の意味をあらわす。

- 画数 7
- オン ゲン・ゴン
- くん いう / こと

元

空の上に点をつけて「上」の意味と、歩く足の形。

人のいちばん上の頭をあらわし、頭が人の大もとだということから「もと・はじめ」をあらわした。

- 画数 4
- オン ゲン・ガン
- くん もと

戸

門の片方のとびらの形。

片開きのとびらで「と」をあらわした。

- 画数 4
- オン コ
- くん と

原

がけと泉の形。

がけのさけ目から水がわき出ている「もと」のことと、水が流れていく「げんや・のはら」の意味もあらわした。

- 画数 10
- オン ゲン
- くん はら

(55)

午

おもちをつくきねの形。

きねを上下に動かしてものをつくことから「交わる」の意味になり、朝と昼の交わる「12時」の意味に使われるようになった。

昔の12時は、うしの刻とよばれたので「午」＝うしとも読む場合があるよ。正午＝12時

- 画数 4
- オン ゴ
- くん

古

十と口の形。

親から子へと、何十代も受けついできた「ふるい昔のこと」という意味。

[反対語]
古い ↔ 新しい

- 画数 5
- オン コ
- くん ふるい／ふるす

語

「言」と、交わる形と、口の形。

口で言葉を交わし合うことから「かたる・ことば」の意味になった。

「言」も見よう。55ページ

- 画数 14
- オン ゴ
- くん かたる／かたらう

後

十字路の半分の形で「行く」ことと、糸の形と、後ろ向きの足の形。

後ろ向きに歩くのは、時間のかかる糸つむぎのようになかなか進まないものなので「おくれる・うしろ」の意味になった。

[反対語]
後退 ↔ 前進
後手 ↔ 先手

- 画数 9
- オン ゴ・コウ
- くん のち・うしろ／あと／（おくれる）

2年【コ〜コ】

(56)

2年 [コ〜コ]

公

両手で押しわける形と、うででかかえこむ形。

うででかかえこんでひとりじめしようとしているのを両手で押しのけることから「みんなのものにする」という意味をあらわす。

- 画数 4
- オン コウ
- くん （おおやけ）

工

工作用のものさしの形。

たてものをたてたり、工作するときに使うものさしで「ものをつくる」の意味をあらわした。

- 画数 3
- オン コウ・ク
- くん

交

人が足を組んでいる形。

足を組んでいる形から「まじわる」の意味になった。

- 画数 6
- オン コウ
- くん まじわる / まじる / （かう）

広

一方をがけに寄りかからせた家の形と、うででかかえこむ形。

かかえこんだうでの中にできる空間のように、家ががらんとしていることから「ひろい」の意味をあらわす。

【反対語】
広い⇔せまい

- 画数 5
- オン コウ
- くん ひろい / ひろまる / ひろがる

考

つえをついた年よりと、つかえていたものをこえて上に伸びる形。

年をとると考えを深めのばすことができるので「かんがえる」という意味をあらわした。

- 画数 6
- オン コウ
- くん かんがえる

光

火の形と、歩いている足の形。

火の明るさが遠くまで伝わることから「ひかり」をあらわした。

- 画数 6
- オン コウ
- くん ひかる　ひかり

2年【コ〜コ】

高

お城の物見やぐらの形。

高いたてものの形から「たかい」という意味をあらわす。

- 画数 10
- オン コウ
- くん たかい・たか　たかまる　たかめる

行

十字路の形。

十字路は人があちこちへ向かう場所なので「いく」の意味をあらわした。

- 画数 6
- オン コウ・ギョウ・(*アン)
- くん いく・ゆく　おこなう

2年 [コ〜コ]

合

人が集まってくる形と、口の形。

集まってきた人の言うことを聞いてみると、だれの話も同じだということから「あう・あわせる」という意味になった。

単位として使う「合」。お米一合。富士山の5合目。

- 画数 6
- オン ゴウ・ガッ・*カッ
- くん あう　あわす　あわせる

黄

二十と、火の形と、田んぼの形。

たくさんの火が田んぼや畑にもえ広がるときの火の色から「きいろ」の意味をあらわした。

- 画数 11
- オン オウ・(コウ)
- くん き　(*こ)

国

かこいの形と、天地の間に人と宝ものがある形。

かこいの中に王さまと宝ものがある形から「くに」の意味をあらわした。

これが日本の国だよ。

- 画数 8
- オン コク
- くん くに

谷

山と山の間の水が流れるところの形。

水は山と山の間の低い場所（谷）に流れるのでその形から「たに・くぼみ」をあらわした。

【渓谷(けいこく)】＝谷間のこと。

- 画数 7
- オン (コク)
- くん たに

(59)

人があちこちから集まってくる形と、いつまでも続いている形。

人が昔から今まで、あちこちから集まり続けているということから「いま・げんざい」という意味になった。

【反対語】
今↔昔

画数 4
オン コン・(キン)
くん いま

まどの形と、下から火がもえている形。

まどの下で火をたくと、すすのためにまどが黒くなることから「くろい」の意味をあらわした。

画数 11
オン コク
くん くろ
　　くろい

「黒こげになっちゃった。」

2年 [コ〜サ]

糸をたばねた形と、脳と血管の形。

脳の中の血管は糸のように細く、細かいので「ほそい・こまかい」の意味をあらわす。

【反対語】
細い↔太い

画数 11
オン サイ
くん ほそい
　　ほそる
　　こまか
　　こまかい

土の上に芽が出た形。

植物の芽が土の中から出てきた形で「生まれ持った能力」の意味をあらわした。

「ぼくにはあやとりの才能があるんだ。」

画数 3
オン サイ
くん

(60)

2年【サ〜シ】

算

竹の葉の形で竹のことと、貝と両手の形。

貝を合わせるように、竹のぼうと合わせて数をかぞえたことから「数える」の意味になった。

- 画数 14
- オン サン
- くん

作

人と、作りかけの家の形。

人が家を作っている形から「つくる」の意味をあらわした。

形の似た字「昨」。157ページ

- 画数 7
- オン サク・サ
- くん つくる

市

市場のたてものと人が出入りする形。

多くの人やものが出入りする場所から「いちば」の意味になった。

- 画数 5
- オン シ
- くん いち

止

足の形。

足は、からだのいちばん下で上から見ていくと終わりの部分なので「とまる・とめる」の意味をあらわした。

【制止】やめさせること。【静止】しずかにとまること。

- 画数 4
- オン シ
- くん とまる とめる

女の人の形と、市場の形。

市場に品物が入ってきてどんどんつみかさなっていくように、いちばん上の女の子「あね・女の人をよぶことば」の意味になった。

↓

↓
姉

画数 8
オン （シ）
くん あね

矢の形。

弓でいる矢の形で「や」の意味をあらわした。

「矢」を使った字をさがそう。
知・短

画数 5
オン （シ）
くん や

糸をたばねた形と、たおれかかったものを支えている形。

たおれかかっているものはうすいものをあらわし、せんいでできたうすいものということで「かみ」の意味をあらわした。

【紙一重】
ほんのわずか。

↓

↓
紙

画数 10
オン シ
くん かみ

あたまの中の脳の形と、心臓の形で「こころ」のこと。

脳と心で考えることをあらわし「おもう」ことを意味した。

あ〜、どらやき食べたい。

↓

↓
思

画数 9
オン シ
くん おもう

2年【シ〜シ】

(62)

2年【シ〜シ】

自

はなを正面から見た形。

はなをさして自分を示すことから「じぶん」の意味になった。

- 画数 6
- オン ジ・シ
- くん みずから

寺

手の形と、足の形。

手足をはたらかせ仕事をすることで役所の意味になり、そこへお坊さんを泊めたので「てら」の意味をあらわすようになった。

「寺」のつく字をさがそう。
持・時

- 画数 6
- オン ジ
- くん てら

室

家のやねの形と、鳥が空から地面に降りてきた形で「行き着いた」こと。

たてものの奥の行き着いた場所に部屋があるので「へや」をあらわした。

「むろ」は「部屋」の古いいいかた。

- 画数 9
- オン シツ
- くん （むろ）

時

太陽の形と、足と手の形で「手足を動かす」こと。

太陽が動いて、時間がたつことで、「とき」の意味をあらわした。

タイムマシンで、旅行へ時間出発！

- 画数 10
- オン ジ
- くん とき

ひな鳥がならんでいる形。

生まれたばかりのひなは、弱々しいことから「よわい」の意味をあらわした。

弱にはわかいという意味もあるよ。
弱冠・弱年(若年)

- 画数 10
- オン ジャク
- くん よわい よわる よわまる よわめる

神をまつる祭だんの形と、地面から芽が出ている形で「土」。

ものを生み出す土地の神をおまつりすることから「やしろ(土地の神をまつるたてもの)」の意味になり、村々にやしろをたてたことから「集団」をあらわす意味にもなった。

- 画数 7
- オン シャ
- くん やしろ

イネのほがたれている形と、火がもえている形。

イネが実ったあと、ほ先をやいてタネをとることから「米がみのるころ・あき」をあらわす。

お米がうまいぜ。

- 画数 9
- オン シュウ
- くん あき

顔とあたまの毛の形。

首から上のことをあらわし「くび」や「あたま」の意味になった。

ひみつ道具でとりかえたよ。

- 画数 9
- オン シュ
- くん くび

2年【シ〜シ】

草の芽がたくさん出ている形と、太陽の形。

あたたかな太陽の光で草木が芽を出す季節から「はる」の意味をあらわす。

画数 9
オン シュン
くん はる

道と足の形で「道を歩く」ことと、板にくぎをつき通す形と、口で「周」(162ページ)。

みんなに何かを知らせるため、ぐるっと一周めぐり歩くことから「一しゅう間」の意味をあらわした。

画数 11
オン シュウ
くん

小さいものをさらに2つにわけるしるし。

小さいものをさらにわけると、さらに少なくなることから「すくない」の意味になった。

小と少のちがい
「小」ちいさい
「少」すくない

画数 4
オン ショウ
くん すくない
　　 すこし

ふでで紙に字を書いている形。

この形から、「かく・かいたもの」という意味をあらわした。

画数 10
オン ショ
くん かく

2年 [シ〜シ]

(65)

色

人の形と、つえの形。

つえをついた年よりが、長い道のりを歩いてからだがほてって赤くなることから「いろ・いろどり」の意味になった。

- 画数 6
- オン ショク・シキ
- くん いろ

場

木や草が芽を出している地面の形で「土」のことと、吹き流しの上に太陽がのぼる形。

ふきながしの上に太陽がのぼるように、土を高くもったところのことから「ところ・ばしょ」の意味をあらわす。

- 画数 12
- オン ジョウ
- くん ば

心

心臓の形。

心臓の形から「しんぞう・こころ」をあらわす。

- 画数 4
- オン シン
- くん こころ

食

人があちこちから集まってくる形と、ふくろに入った米と、さかさまの人。

さかさまの人は変化することをあらわす。人が集まって米を変化させて（料理して）「たべる」ことをあらわした。

- 画数 9
- オン ショク・(*ジキ)
- くん くう
  たべる
  (くらう)

2年【シ〜シ】

(66)

親

人が立っていることと木の形と「見」。

立っている木の横で、いつも近くから見てくれている人のことから「おや・したしい」の意味をあらわす。

新も見てみよう。

画数 16
オン シン
くん おや
したしい
したしむ

新

人が立っている形と、木の形と、おので木を切る形。

立ち木をおので切ったばかりの生木のことで「あたらしい・はじめて」の意味をあらわす。

親も見てみよう。

画数 13
オン シン
くん あたらしい
あらた
(にい)

数

植物のせんいの形と、女の人の形と、手にむちを持った形。

せんいを何度もたたいてやわらかくしたことから「かぞえる・かず」の意味をあらわした。

何個あるかな?

画数 13
オン スウ・(*ス)
くん かず
かぞえる

図

かこいの形と、境界線のしるし。

田や畑などの境界線を図面にしたことから「ず・かいたもの」の意味をあらわした。

画数 7
オン ズ・ト
くん (はかる)

2年【シ〜ス】

(67)

石でできた打楽器の形。

石でできた楽器をぼうでたたいてならしている形で「おと・こえ」の意味をあらわす。

画数 7
オン セイ・(*ショウ)
くん こえ (*こわ)

鳥がすにとまっている形。

鳥がすに帰る夕方には、日が西にあることから「にし」の意味をあらわした。

日の沈む方は「西」。日が出る方は? 76ページ

画数 6
オン セイ・サイ
くん にし

太陽の形と、草と井戸の形。

太陽が出ているときの空の青さで「すみきった・はれる」の意味をあらわす。

青も見てみよう。35ページ

画数 12
オン セイ
くん はれる はらす

かがやく星の形と、草の芽の形。

草の芽は生命をあらわし、さまざまな命が天にのぼって星になるということから「ほし」をあらわした。

画数 9
オン セイ・(*ショウ)
くん ほし

2年【セ〜セ】

2年【セ〜セ】

雪

空から雨が降っている形と、右手を横から見た形。

雨のように雲から降ってきて、手にのせられるものということで「ゆき」をあらわした。

- 画数 11
- オン セツ
- くん ゆき

切

ぼうを切った形と、刀の形。

刀でぼうを切ることから「きる・きざむ」の意味をあらわす。

- 画数 4
- オン セツ・(*サイ)
- くん きる / きれる

線

糸の形と、いずみの口から水が出ている形で「泉」(267ページ)。

泉からわき出た水が糸のように細く流れているようすから「糸のように細いすじ・せん」をあらわした。

- 画数 15
- オン セン
- くん

船

船の形と、わかれるしるしと、水の出る口で谷川のこと。

谷川にそって進む船の形から「ふね」をあらわした。

【舟】おもに小型のもの。
【船】ふね全般。

- 画数 11
- オン セン
- くん ふね / *ふな

(69)

糸をたばねた形と、台の上にものをかさねた形。

糸をかさねるようにあんだ組ひものことから「くむ・ひとそろいの・なかま」の意味をあらわす。

- 画数 11
- オン ソ
- くん く**む**／くみ

足の形と船の形で「つないである船」のことと、刀の形。

つないである船のつなを切ると船が出て行くことから、船の進む方「さき・まえ」の意味をあらわす。

目が前についているのは前へ前へと進むためだ。

- 画数 9
- オン ゼン
- くん まえ

2年【セ〜タ】

月が半分出た形で「夕」。それをふたつかさねたもの。

夕方をふたつかさねて、日数をかさねるということから「おおい」の意味をあらわした。

宿題が多いよ。

- 画数 6
- オン タ
- くん おおい

走っている人の形と、足の形。

走っている人の形と足で「はしる」という意味をあらわした。

ちこくだ。

- 画数 7
- オン ソウ
- くん はしる

2年【タ〜チ】

体

人と、木の根本を示した形。

しっかりした木のようにじょうぶな姿ということから「からだ」をあらわす。のちに「形・姿」という意味にもなった。

- 画数 7
- オン タイ・(テイ)
- くん からだ

太

大をふたつ重ねた形。

下の「大」は省略の「ヽ」に変わった。大をかさねて「ふとい・とても大きい」という意味をあらわした。

- 画数 4
- オン タイ・タ
- くん ふとい
  ふとる

地

木や草が芽を出している地面の形で「土」と、ヘビの形。

ヘビのようにうねうねした地ということから「じめん」の意味をあらわした。

- 画数 6
- オン チ・ジ
- くん

台

まわりを見わたすための物見台の形。

高い物見台のことから「高くて平らなところ」の意味をあらわす。

- 画数 5
- オン ダイ・タイ
- くん

(71)

矢の形と、口の形。

矢のようにズバリとものごとを言い当てることをあらわし、それはよく知っているということなので「しる・しらせる」の意味をあらわす。

画数 8
オン チ
くん しる

知

水の形と、ヘビの形。

神さまのつかいのヘビがすんでいる水たまりということから「いけ」をあらわした。

画数 6
オン チ
くん いけ

池

親指と中指を広げた形の「尺」と、太陽が地平線から出た形。

尺は長さの意味でひと区切りのことで、太陽が出てからしずむまでのひと区切りで「ひる」のことをあらわした。

「旦」は、タンと読み、地平線に日が出た形。

画数 9
オン チュウ
くん ひる

草の生えている形と、お茶の木の形。

こんもりしげったお茶の木の形で「おちゃの木・ちゃ」の意味をあらわした。

お茶のいろいろ
紅茶、緑茶、ほうじ茶、中国茶、抹茶…

画数 9
オン チャ・(サ)
くん

2年【チ～チ】

2年【チ～チ】

鳥の形。

尾の長い鳥から「とり」をあらわした。

- 画数 11
- オン チョウ
- くん とり

つえをついた、かみの長い人の形。

つえをついた長いかみの人は老人をあらわし、そこから「ながい・年上」の意味。

- 画数 8
- オン チョウ
- くん ながい

10の目でまっすぐ見ることと、あちこち、にげ回るしるし。

大ぜいの目で見れば、にげても悪いことができないということから「心が正しい・まっすぐ」という意味をあらわす。

- 画数 8
- オン チョク・ジキ
- くん ただちに
  なおす
  なおる

草の間から太陽が出た形と、月の形。

太陽が出て、月もまだ空に残っている時間ということで「あさ」の意味をあらわした。

- 画数 12
- オン チョウ
- くん あさ

(73)

弟

ぼうくいにひもをまきつけた形。

ひもを上から下へグルグルとまくかたちで「ものをたばねる順序」をあらわし、のちに生まれた順序のことから「年下の男」を意味するようになった。

- 画数 7
- オン *ダイ・(テイ)・(*デ)
- くん おとうと

通

道と足の形で「道を歩く」ことと、人が板にくぎをさし通している形。

板に打ちつけたくぎのように、道がまっすぐつらぬいていることから「とおり・とおる・ゆきわたる」の意味をあらわした。

- 画数 10
- オン ツウ・(*ツ)
- くん とおる
  とおす
  かよう

点

カメのこうらのひびの形と口の形で「うらなうこと」と、黒い点が4つ。

うらないの小さなしるしから「わずかな」の意味になり、それに点を4つつけて「小さなしるし」の意味をあらわした。

- 画数 9
- オン テン
- くん

店

一方をがけに寄りかからせた家の形と、亀のこうらのひびの形と口の形で「うらない」のこと。

占って決めたひとつの場所で、ものを並べて商売をする家ということから「みせ」の意味をあらわす。

- 画数 8
- オン テン
- くん みせ

2年【ツ〜テ】

刀の形。

昔の中国の刀の形で「かたな」の意味をあらわした。

画数 2
オン トウ
くん かたな

空から雨がふっている形と、いなづまの形。

「いなびかり」のこと。いまでは「電気」のことも意味するようになった。

画数 13
オン デン
くん

ふたつを分けるしるしと、同じ広さにわけた田んぼの形。

田んぼをおなじ大きさにわけることで「そうとうする・あたる」の意味をあらわす。

画数 6
オン トウ
くん あたる
    あてる

泉の出口がふさがった形と、水のこおりはじめのすじの形。

泉の出口がこおってふさがるような寒い季節のことから「ふゆ」の意味をあらわした。

画数 5
オン トウ
くん ふゆ

2年【テ〜ト】

竹の葉の形で竹のことと、「合」(59ページ)。

集めたものを数えるとき、竹のぼうと合わせたところから「こたえ」の意味をあらわした。

- 画数 12
- オン トウ
- くん こたえる
　　　 こたえ

木の形と、太陽の形。

木の枝の間から太陽が見えている形で、日が出る方向「ひがし」をあらわす。

- 画数 8
- オン トウ
- くん ひがし

2年【ト〜ト】

厚い板に穴を開けた形。

開けた穴が始めから終わりまで同じ大きさということから「おなじ」という意味になった。

- 画数 6
- オン ドウ
- くん おなじ

高いあしのついた器と、あたまの形。

あしの高い食器のように、顔が体の高い場所にあることから、「あたま・さきのほう」の意味になった。

頭をかかえる＝困って考え込むこと。

- 画数 16
- オン トウ・ズ・(*ト)
- くん あたま
　　　 (かしら)

(76)

2年【ト～ナ】

読

「言（げん）」と、「売（ばい）」の形（かたち）。

ものを売（う）るとき、調子（ちょうし）をつけて売（う）り声（ごえ）を出（だ）すことから「声（こえ）に出（だ）してよむ」の意味（いみ）になった。

「言（げん）」も見（み）よう。55ページ
「売（ばい）」も見（み）よう。78ページ

画数 14
オン ドク・トク・*トウ
くん よむ

道

道（みち）と足（あし）の形（かたち）で「道（みち）を歩（ある）く」ことと、人（ひと）のあたまの形（かたち）。

人（ひと）が顔（かお）を合（あ）わせたり行（い）き来（き）するところのことで「みち」の意味（いみ）をあらわした。

画数 12
オン ドウ・（*トウ）
くん みち

南

上（うえ）からつるしてたたく「なん」とよばれる楽器（がっき）の形（かたち）。

昔（むかし）、この楽器（がっき）を中国（ちゅうごく）の南（みなみ）の方（ほう）に住（す）む人（ひと）が使（つか）っていたところから「みなみ」の意味（いみ）をあらわした。

画数 9
オン ナン・（*ナ）
くん みなみ

内

布（ぬの）がたれている家（いえ）の入（い）り口（ぐち）の形（かたち）。

カーテンのような布（ぬの）がたれている家（いえ）の入（い）り口（ぐち）で「なか・うち」の意味（いみ）をあらわした。

画数 4
オン ナイ・（*ダイ）
くん うち

ウマの形。

ウマの全体の姿で「ウマ」をあらわした。

画数 10
オン バ
くん うま
(*ま)

肉の形。

肉のかたまりの形から「にく・からだ」をあらわした。

画数 6
オン ニク
くん

2年【三〜八】

魚をとるあみの形と、貝の形で「お金」のこと。

あみで魚をとるように、品物を集めることから「お金をはらって品物を手に入れる」意味をあらわした。

画数 12
オン バイ
くん かう

「出」を略した形と、魚をとるあみの形と貝の形で「買」。

買ってきたものを出すことで「うる」ことをあらわした。

「買」も見よう。78ページ

画数 7
オン バイ
くん うる
うれる

(78)

2年 【ハ〜フ】

わけるしるしと、「ウシ」を省略した形。

ウシは大事な財産だった。それをふたつにわけることから「はんぶん」の意味になった。

「牛」も見よう。52ページ

画数 5
オン ハン
くん なかば

こく物の形と、さかさまの足の形。

さかさまの足はやってきたもののこと、天からさずかったこく物という意味で「むぎ」をあらわした。

おおむかし、「麦」と「来」は同じ字だった。

画数 7
オン (バク)
くん むぎ

右手におのを持った形。

おのを持って外に仕事に行く人のことから、家の主人「ちち」の意味をあらわす。

画数 4
オン フ
くん ちち

たねをまいている手の形と、田んぼの形。

まいたたねがよくそだつように、順番に見張りをすることから「ばん・じゅんばん」の意味をあらわした。

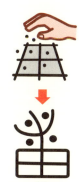

画数 12
オン バン
くん

(79)

分

ぼうをふたつにわけた形と、刀の形。

1本のぼうを刀で切って、ふたつにすることから「わける」の意味をあらわす。

- 画数 4
- オン ブン・フン・ブ
- くん わける
   わかれる

風

風がふいている形と、虫の形。

季節の風とともにいろいろな虫が出てくることから風と虫で「かぜ」の意味をあらわした。

春風が吹き始めるころ、虫が出てきます。

- 画数 9
- オン フウ・(*フ)
- くん かぜ
   *かざ

米

イネのほの形。

イネのほの形で「こめ」をあらわす。

アメリカのことを「米国」と書くこともあるよ。

- 画数 6
- オン ベイ・マイ
- くん こめ

聞

門の形と、耳の形。

音が入ってくる門という意味から「みみ」をあらわした。

- 画数 14
- オン ブン・(モン)
- くん きく
   きこえる

2年【フ〜ヘ】

2年【ホ〜ホ】

女の人のむねにちぶさがついた形。

ちぶさのついた人の形から「はは・おかあさん」をあらわした。

画数 5
オン ボ
くん はは

左足の形と、右足の形。

両足をたがいちがいに出すことから「あるく」意味になった。

画数 8
オン ホ・(ブ)・(フ)
くん あるく
　　 あゆむ

ふたりがせなか合わせに立っている形。

太陽に向いた人にせなかを向けて立つと北向きになることから「きた」の意味になった。

画数 5
オン ホク
くん きた

2そうの船のへさきを岸につないだ形。

2そうが同じ方を向いていることから「ほうこう」の意味。また、船のへさきと後ろが全部で4つある形から「しかく」の意味をあらわす。

画数 4
オン ホウ
くん かた

女の人の形と、まだ伸びきらない若い木の形。

女のきょうだいのわかいほうという意味で「いもうと」のことをあらわしました。

↓

↓

画数 8
オン （マイ）
くん いもうと

草が芽を出した形と、「母」（81ページ）。

草は母親のようにつぎつぎと子どもを増やす。そのひとつひとつということから「すべて・そのたび」の意味になった。

画数 6
オン マイ
くん

まどの形と、月の形。

まどからさしこむ月の明るさから「あかるい」の意味をあらわす。

↓

↓

画数 8
オン メイ・ミョウ
くん あかり
　　あかるい
　　あきらか
　　あける

おしゃかさまのむねにあらわれたという「まんじ」の形。

仏教で使われるしるしで方をあらわし「数の多いこと」もあらわした。

画数 3
オン マン・（バン）
くん

2年【マ〜メ】

(82)

鳥の羽、1枚の形。

鳥の羽の形から、鳥、けもの、人の「毛」の意味をあらわした。

画数 4
オン モウ
くん け

鳥の形と、口の形。

鳥はよくさえずるので「なく」の意味をあらわした。

「鳴」は、動物がなくこと。人がなくのは「泣」149ページ。

画数 14
オン メイ
くん なく なる ならす

わきの下に子どもをかかえてねている形と、月の形。

おとなも子どももねている形と月が出ている形で「よる」をあらわした。

画数 8
オン ヤ
くん よ よる

両開きのとびらの形。

両開きのとびらの形で「もん」をあらわした。

「門」を使った字をさがそう。
間・開・閉・関・閣

画数 8
オン モン
くん (かど)

2年【メ〜ヤ】

(83)

ふたりの手を横から見た形。

ふたりが手を取り合って、助け合ったり、あく手をすることから「ともだち」の意味をあらわす。

- 画数 4
- オン ユウ
- くん とも

田と土で「里」(85ページ)と、同じような品物を引っぱっている形で「のばす」こと。

村里からずっとのびて行った場所ということで「ひろいのはら」をあらわした。

- 画数 11
- オン ヤ
- くん の

太陽の形と、羽と鳥の形。

鳥が羽を広げた美しさのように、日がかがやくようすから「かがやく」の意味。今は「ようび」の意味で使われる。

- 画数 18
- オン ヨウ
- くん

板にくぎをつき通した形。

木を組み合わせてものをつくるとき、くぎを使うことから「もちいる・しなければならないこと」の意味になった。

- 画数 5
- オン ヨウ
- くん もちいる

2年【ヤ〜ヨ】

(84)

2年【ラ〜ワ】

里

田んぼの形と、芽が出ている地面の形で「土」。

田があるところということで「むらざと・自分のいなか」という意味をあらわした。

ぼくのふる里は未来の世界。

画数 7
オン リ
くん さと

来

麦のほが実っている形。

麦は天から来た授かりものと考えて、麦の形で「くる」という意味をあらわした。

「麦」も見てみよう。
79ページ

画数 7
オン ライ
くん くる
（きたる）
（きたす）

話

「言」と舌の形。

心に思っていることを口に出して話すことから「はなす・ものがたり」の意味をあらわす。

「言」も見よう。
55ページ

画数 13
オン ワ
くん はなす
  はなし

理

宝石をひもでつないだ形と、田んぼの形と地面にあぜ道のようにきちんとしたすじのこと。

宝石を加工するときに石の目（割れやすい方向）を見て細工することから「すじめ・ものごとのすじみち」の意味をあらわす。

画数 11
オン リ
くん

(85)

●3年生の漢字もくじ●
（200字・アイウエオ順。同じ読みの場合は画数の少ない順）

悪安暗医… 88	温化荷界… 92	級宮球去… 96	決研県庫… 100	指歯詩次… 104	拾終習集… 108	植申身神… 112	族他打対… 116	調追定庭… 120	童農波配… 124	氷表秒病… 128	面問役薬… 132	旅両緑礼… 136
委意育員… 89	開階寒感… 93	橋業曲局… 97	湖向幸港… 101	事持式実… 105	住重宿所… 109	真深進世… 113	待代第題… 117	笛鉄転都… 121	倍箱畑発… 125	品負部服… 129	由油有遊… 133	列練路和… 137
院飲運泳… 90	漢館岸起… 94	銀区苦具… 98	号根祭皿… 102	写者主守… 106	暑助昭消… 110	整昔全相… 114	炭短談着… 118	度投豆島… 122	反坂板皮… 126	福物平返… 130	予羊洋葉… 134	
駅央横屋… 91	期客究急… 95	君係軽血… 99	仕死使始… 103	取酒受州… 107	商章勝乗… 111	送想息速… 115	注柱丁帳… 119	湯登等動… 123	悲美鼻筆… 127	勉放味命… 131	陽様落流… 135	

3年

家のやねの形と、女の人の形。

家の中で女の人が休んでいるかたちで「やすらか・やすらぐ」の意味をあらわした。

※ドラちゃんがいてくれると安心ね。

- 画数 6
- オン アン
- くん やすい

曲がりくねった道の形と、心臓の形で「こころ」のこと。

曲がりくねった心ということで「よくない・わるい」という意味をあらわす。

※ジャイアンってばかだよね。おれの悪口言ってやがるな。

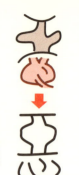

- 画数 11
- オン アク・(オ)
- くん わるい

矢とそれを入れる箱の形。

矢でつきさすような苦さの薬草が入っている箱の形で「いしゃ・けがや病気をなおすこと」をあらわす。

※ひみつ道具にも「お医者さんカバン」があるよ。

- 画数 7
- オン イ
- くん

太陽の形と、口の中から「音」がもれて出ている形。

口のすきまから音が出るように、日の光がすきまからもれてくるぐらいの暗さということで「くらい」の意味をあらわした。

※つけると暗くなる電球

- 画数 13
- オン アン
- くん くらい

3年【ア〜イ】

(88)

意

「音」と、心臓の形で「こころ」のこと。

心にあることを言葉にすることから「思う・気持ち」の意味をあらわす。

「音」も見てみよう。25ページ

画数 13
オン イ
くん

委

たれているイネのほの形と、女の人の形。

風にさからわずイネがしなるように、女の人のしなやかなようすから、相手に「ゆだねる・仕事を任せる」の意味をあらわした。

「くわしい」という意味もあるよ。委細

画数 8
オン イ
くん ゆだねる

員

円いしるしと、貝の形。

円いしるしと貝とで、お金や人やものを数えるときの「数」という意味になり、「役目や仕事を持った人」の意味にも使われる。

「貝」も見てみよう。26ページ

画数 10
オン イン
くん

育

さかさまの子どもの形と、肉の形。

さかさまの子は、ふつうよりも弱い子どもをあらわし、その子を育てるために肉を食べさせ、養うことから「そだてる」の意味をあらわす。

「流」の中にもさかさまの子どもがいるよ。135ページ

画数 8
オン イク
くん そだつ
    そだてる・はぐくむ

3年【イ〜イ】

(89)

食と、人が口を大きく開けている形。

水などを口を開けて飲みこむことから「のむ」の意味をあらす。

「食」も見てみよう。
66ページ

画数 12
オン イン
くん のむ

がけの断層の形で「つみ上げた土」のことと、「完」(145ページ)。

完全に土かべでとりかこんだたてもので「特別なたてもの」をあらわす。

「完」も見てみよう。
145ページ

画数 10
オン イン
くん

水の形と、川の流れが集まり長くのびていく形。

水の流れにのって、長い時間水に入っていることで「およぐ」の意味をあらわす。

「永」はどんな字かな？
192ページ

画数 8
オン エイ
くん およぐ

道と足の形で「道を歩く」ことと、車を人が取りかこむ形。

軍隊が、戦車をひっぱって進むことから「はこぶ」の意味になった。

「軍」も見てみよう。
152ページ

画数 12
オン ウン
くん はこぶ

3年【イ〜エ】

(90)

央

広場の形と、人。

えらい人が広場の真ん中に立っている形から「まんなか」をあらわした。

- 画数 5
- オン オウ
- くん

大 → 央 → 央

駅

ウマの形と、指を開いて長さをはかっている形。

ウマで、人やにもつを運ぶときのひと区切り（長さ）ということから「宿場・えき」の意味をあらわす。

↓

↓
駅

- 画数 14
- オン エキ
- くん

屋

人が横たわっている形と、鳥が飛んできて地面に着いた形。

鳥が地面に着いた形は「やってくる」という意味。人が来てねとまりするところという意味で「いえ・すまい」のこと。

- 画数 9
- オン オク
- くん や

↓
屋

横

木と、たくさんのしると、田と、火の形で「広がる」こと。

田の草に火をつけると広がるように、横いっぱいに広がってのびる木の枝のことから「よこ」の意味になった。

↓
横
↓
横

> わがまま・乱暴という意味もある。
> 横行・横暴

- 画数 15
- オン オウ
- くん よこ

3年 [エ〜オ]

(91)

人と、もうひとつ人のさかさまの形。

人がさかさまになることから「かわる・ばける」の意味をあらわす。

読めるかな？
化身・ようかい
変化（答えはこのページの下）

画数 4
オン カ・(ケ)
くん ばける
　　　ばかす

水の形と、かまどの上のなべでむしものをしている形。

冷えた食べものをお湯をわかして湯気で温めることで「あたためる・あたたかい」の意味をあらわす。

温かいおふろが一番ね。

画数 12
オン オン
くん あたたか
　　　あたたかい
　　　あたたまる
　　　あたためる

田んぼの形と、人の形と分けるしるし。

田を区分けしてさかいをつけることから「境・区切り」などの意味をあらわした。

画数 9
オン カイ
くん

草の生えている形と、人がにもつをせおっている形。

かりとった草をせなかにせおった形から「にもつ・になう」の意味をあらわす。

画数 10
オン (カ)
くん に

3年【オ〜カ】

【答え】：けしん・へんげ

(92)

階

がけの断層の形で「つみ上げた土」のことと、人が並んだ形と、人の鼻の形。

みんながはなを並べてそろうように、きちんとそろえて作った上り坂のことから「かいだん」をあらわす。

- 画数 12
- オン カイ
- くん

↓

↓
階

開

門にかんぬきがしてある形と、両手の形。

かんぬきを両手で持ち上げてとびらを開くことから「ひらく」の意味をあらわす。

〔反対語〕
開 ↔ 閉

- 画数 12
- オン カイ
- くん ひらく
  ひらける
  あく
  あける

↓

↓
開

感

まさかりの形と、口の形と、心臓の形で「こころ」のこと。

口をふうじるために武器でおどしショックを与えることで、「こころでかんじる・こころが動く」の意味になった。

おれの歌って感動するよな。

も、もちろん。

- 画数 13
- オン カン
- くん

↓
感

寒

やね、草、人、氷のすじの形。

冬になると寒くなって地面がこおるので、草をしいてその上に人がねたことから「さむい」の意味をあらわした。

「さびれた、まずしい」という意味もあるよ。寒村

- 画数 12
- オン カン
- くん さむい

↓
寒

3年【カ〜カ】

(93)

館

人が集まってものを にて食べる形と、役 所のたてものの形。

集まってきた人をとまら せたり、食事の世話をし たりするところから「や どや・やかた」の意味にな った。

- 画数 16
- オン カン
- くん やかた

漢

水の形と、二十と田 んぼと火の形。

畑のある文明が開けた 水辺の意味で、むかし中 国にあった川の名前だっ た。そこから、中国の古 い国名「かん」になった。

「男」という 意味もあるよ。 悪漢・大食漢

- 画数 13
- オン カン
- くん

起

走っている人と足で 「走」と、あたまを持 ちあげたヘビの形。

ヘビが来たので起き上が って走ってにげたことか ら「おきる・たつ」の意味 をあらわした。

「始まり」の 意味もある。 起源・起点

- 画数 10
- オン キ
- くん おきる
  おこる
  おこす

岸

山の形と、がけの地 層が見えている形。

山のがけがくずれて水が 流れる川の両へりのこと から「きし」をあらわし た。

- 画数 8
- オン ガン
- くん きし

3年【カ～キ】

(94)

3年【キ〜キ】

家のやねの形と、さかさまの足の形と口の形で「各」(145ページ)。

歩いて来た人が家に入り何か話していることから、おとずれた人ということで「きゃく」の意味をあらわした。

画数 9
オン キャク・(カク)
くん

→ 客 → 客

台に四角いものをきちんとつんだ形と、月の形。

きちんと積んであることと、月のみちかけがいつも正確なことを合わせて「きめられたとき」の意味をあらわした。

画数 12
オン キ・(*ゴ)
くん

→
→ 期

後ろの人が前の人に届く形と、心臓の形で「こころ」のこと。

前の人に追いつこうと、せかせかした急ぐ気持ちから「いそぐ・はやい」の意味をあらわす。

画数 9
オン キュウ
くん いそぐ

→ 急 → 急

ほら穴の形と、「九」で1から9の最後のこと。

穴の最後、つまり奥までということから「奥深くをきわめる」という意味をあらわす。

画数 7
オン キュウ
くん (きわめる)

(95)

家のやねの形と、たくさんの部屋がある形。

部屋がたくさんある家のことから「ごてん・りっぱなやしき」をあらわす。

宮

画数 10
オン キュウ・(グウ)・(*ク)
くん みや

糸をたばねた形と、人と右手の形で後ろの人が前の人に追いついて並ぶこと。

糸にはできのいいものとわるいものがあり、よい品質のでき上がりに追いつこうという気持ちから「くらい・とうきゅう」の意味をあらわす。

級

画数 9
オン キュウ
くん

食べものを入れるうつわとふたの形。

中のものを出すためにはふたをとりさることから「さる・とりのぞく」の意味をあらわす。

去

画数 5
オン キョ・コ
くん さる

宝石をひもでつないだ形と、手のまわりに毛が生えている形で「毛皮」のこと。

昔は、シカなどの皮でまりをつくったことから「たま・たまの形」の意味をあらわした。

球

画数 11
オン キュウ
くん たま

3年【キ～キ】

(96)

かねやたいこをつるす柱の形。

ものを引っかける道具のことから、なしとげるのが難しい「仕事・学問」などの意味になった。

画数 13
オン ギョウ・ゴウ
くん （わざ）

木の形と、上が曲がった高いたてものの形。

高いところが曲がってかけられている木ということから「はし」の意味をあらわした。

画数 16
オン キョウ
くん はし

人がいすに座っている形と、四角にかこったわくや仕切りの形。

役所は仕事によって部課にわかれており、部屋が仕切ってある。そこから「仕切ったわく・細かくわかれた区切り」をあらわした。

画数 7
オン キョク
くん

植物のつるや竹を曲げてつくった入れものの形。

ぐにゃりと曲がっているところから「まがる・あたりまえではない」の意味をあらわす。

画数 6
オン キョク
くん まがる
　　 まげる

3年【キ〜キ】

(97)

中に小さい仕切りがある箱の形。

細かく区分けることから「くぎり・しきり」の意味をあらわす。

わたしのブローチ入れよ。

画数 4
オン ク
くん

↓
品
↓
区

山に黄金がまじっている形で「金属」のことと、のぼった太陽が西へ歩いていった形で「おちる」こと。

金よりも少し値打ちが下がった金属で「ぎん・しろがね」をあらわした。

↓

↓
銀

画数 14
オン ギン
くん

貝を両手で持った形。

両手でたからものやお金をささげ持つ形から「そなわっている・そろえた・どうぐ」の意味をあらわす。

↓

↓
具

「敬具」手紙の最後に書くことば。

画数 8
オン グ
くん

草の生えている形と、「古」。

古い草は食べると苦いことから「にがい・くるしい」の意味になった。

↓

↓
苦

「古」も見よう。56ページ

画数 8
オン ク
くん　くるしい
　　　くるしむ
　　　くるしめる
　　　にがい・にがる

3年【キ〜ク】

(98)

棒を持った手と、口の形。

ぼうを持ってさしずするえらい人のことから「くんしゅ」の意味になった。

↓

↓

いまは、親しい人の名前につけてよぶよ。「○○君」

- 画数 7
- オン クン
- くん きみ

人と、より合わせた糸を持つ形。

糸のたばをより合わせるのは、つながる意味。「つながり」や「かかわり」のある人。また「仕事を受け持つ人」の意味になった。

↓

↓

おれたちは遊ぶ係、のび太はランドセルとどける係な。

- 画数 9
- オン ケイ
- くん かかる / かかり

車の形と、はたおり機に糸が張ってある形で「細い道」のこと。

細い道を行くには小さくて軽い車がよいので「かるい・かんたん」の意味をあらわす。

↓

↓

軽いぜ。

- 画数 12
- オン ケイ
- くん かるい（かろやか）

皿に動物の「血」を入れた形。

神にそなえる皿に動物の血を入れた形で「ち」の意味をあらわした。

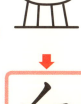
↓

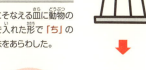

「皿」も見よう。102ページ

- 画数 6
- オン ケツ
- くん ち

3年 【ク〜ケ】

研

石の形と、ふたつのものの高さをそろえた形で「平らにする」こと。

石のでこぼこをなくして平らにすることから「みがく・とぐ」の意味をあらわす。

↓

↓

画数 9
オン ケン
くん (とぐ)

決

水の形と、刃物を手に持ってものをえぐりとること。

堤防が大雨などでけずりとられるようにこわれることで「こわれる」の意味をあらわす。

「決まる」という意味もあるよ。
決断・決心・解決

↓

↓

画数 7
オン ケツ
くん きめる きまる

庫

一方をがけに寄りかからせた家の形と、車の形。

車を入れておくたてものから「くら・そうこ」のことをあらわす。

お金を入れるのは金庫。

↓

↓

画数 10
オン コ・(ク)
くん

県

ふくろうの首をさかさまに木にかけた形。

もとは木に首をぶらさげるという意味だったが「かける・つながりがある」という意味になり、今は中央とつながりのある「県」という意味に使われる。

日本の県の数は、43県。

↓

↓

画数 9
オン ケン
くん

3年【ケ〜コ】

向

家とまどの形。

まどは、南と北、東と西のように向き合ってつくられることから「むく・むき合う」の意味をあらわす。

画数 6
オン コウ
くん むく
　　 むける
　　 むかう
　　 むこう

湖

水の形と、ススキの生えた池と月の形。

月がうつるぐらい静かな水面の水ということで、大きな池「みずうみ」をあらわした。

クイズ
日本一大きな湖は？
【答】琵琶湖

画数 12
オン コ
くん みずうみ

港

水の形と、たくさんの手でものを持つ形と人の形で「人の住んでいるところ」のこと。

水辺の人が住んでいるところということから「みなと」をあらわした。

なぞなぞ
船がでない港は？
【答】空港

画数 12
オン コウ
くん みなと

幸

首が曲がって若死にする形と、とちゅうで止められた形で「さからう」のこと。

若死にするはずが、死をまぬがれることから「しあわせ・さいわい」の意味をあらわした。

幸せ。

画数 8
オン コウ
くん さいわい
　　 しあわせ
　　 （さち）

3年【コ〜コ】

(101)

木の形と、太陽の形と反対向きの人の形で「しりぞく」こと。

上にのびていく木の枝とは反対方向に土の中に入っていくことから「ね」の意味をあらわした。

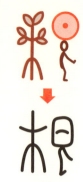

↓

↓

根

- 画数 10
- オン コン
- くん ね

口の形と、上につかえてのびることができない形。

息がつかえてしまうほど、口を開けて泣きさけぶことから「大声でさけぶ・わめく」の意味をあらわす。

↓

↓

号

- 画数 5
- オン ゴウ
- くん

高いあしのついた食べものをのせるうつわの形。

神におそなえをする入れものだったのが、のちにいっぱんに食べものを入れる「さら」の意味をあらわすようになった。

↓

↓

「血」も見てみよう。99ページ

- 画数 5
- オン
- くん さら

肉の形と、右手の形と、神をまつる祭だんの形。

祭だんに、けものの肉をそなえている形から「まつる・おまつり」の意味をあらわす。

↓

↓

↓

祭

- 画数 11
- オン サイ
- くん まつる まつり

3年【コ〜サ】

(102)

死

ほねの形と、人がさかさまになった形で「変わる」こと。

人が死ぬと肉が落ち、ほねに変わることから「しぬ」という意味をあらわす。

画数 6
オン シ
くん しぬ

↓

↓
死

仕

人と、おのの形（兵士の意味）。

王さまにしたがう兵士のことから「つかえる」の意味になった。

形が似ている字「任」

画数 5
オン シ・(*ジ)
くん つかえる

↓
仕

始

女の人の形と、四方を見回すための土台の形。

人は女の人から生まれてくるので、女は人生の土台という意味で「はじめ」の意味をあらわす。

「さあ、勉強を始めましょう。」

画数 8
オン シ
くん はじめる　はじまる

↓
始

使

人と、字を書いている形。

字を書いている形は記録係の役人の意味。字を書くときに、手を使うことから「つかう・つかい」の意味をあらわす。

形が似ている字「便」

画数 8
オン シ
くん つかう

↓
使

3年【シ～シ】

(103)

口を開けて、歯が見えている形。

ものをかむ「は」のこと。

↓

歯

↓

歯

画数 12
オン シ
くん は

手の形と、スプーンで食べものを口に運んでいる形。

食べものを口に運ぶ手から「ゆび」の意味をあらわす。

「旨」は、〈うまい〉という字だよ。

↓

指

↓

指

画数 9
オン シ
くん ゆび
　　 さす

二のかわった形と、口を大きく開けている人の形。

立ち止まって、ひとつあくびをして、次の仕事にとりかかるということから「つぎ」の意味になった。

↓

次

画数 6
オン ジ・(シ)
くん つぐ
　　 つぎ

「言」と、足と手で「手足をはたらかせる」こと。

手足をはたらかせるように、心を使って言葉にあらわしたことから「うた・し」の意味をあらわした。

「言」も見よう。55ページ

↓

詩

↓

詩

画数 13
オン シ
くん

3年【シ〜シ】

(104)

手の形と、足と手で「手足をはたらかせる」形。

ものを持ってはたらくことから「もつ・とる・にぎる」などの動作をあらわす。

うちはお金持ち。

画数 9
オン ジ
くん もつ

うらないしが、うらないのぼうを持っている形。

うらなうことがらは、できごと・なりゆきということから「ことがら・できごと・行い」という意味になった。

画数 8
オン ジ・(*ズ)
くん こと

家のやねの形と、貝の形でたからもののこと。

家の中にたからものがいっぱいつまっていることで「みちる・みたす・み」の意味をあらわす。

画数 8
オン ジツ
くん み / みのる

先がふたまたになった道具の形と、ものさしの形。

いろいろな道具を使ってきちんとした仕事をするということから「決まったやりかた・方法」の意味をあらわす。

【洋式】西洋風のやりかた
【和式】日本風のやりかた

画数 6
オン シキ
くん

3年【シ〜シ】

(105)

かまどでいろいろな こく物をにている形。

こく物をぐつぐつにるときは、火の番をする人が必要というところから「ひと」の意味をあらわした。

画数 8
オン シャ
くん もの

↓

↓
者

家のやねの形と、カササギという鳥の形。

カササギはつばさを並べて天の川に橋をかけ、おりひめとひこぼしが会えるようにするという伝説がある。そこから「家から家へものをうつす」という意味になり、のちに「かきうつす・うつしとる」という意味をあらわすようになった。

画数 5
オン シャ
くん うつす
　　 うつる

↓
↓
写

家のやねの形と、手の形と一のしるしで「手をはたらかせ仕事をする」こと。

家の中で、仕事をして家を守ることから「まもる・まもり」の意味をあらわした。

画数 6
オン シュ・*ス
くん まもる
　　 (もり)

↓

↓

↓
守

台の上で火がじっともえている形。

電灯のなかった昔は、灯火の明かりが家の中心であったことから「いえの中心・あるじ・ぬし」の意味をあらわす。

形が似ている字
「王」「玉」

画数 5
オン シュ・(*ス)
くん ぬし
　　 おも

↓
↓
主

3年【シ〜シ】

酒

水の形と、かめに酒が入っている形。

かめの中に入った酒で「さけ」の意味をあらわした。

- 画数 10
- オン シュ
- くん さけ *さか

取

耳の形と、右手の形。

昔の中国では、てきをうちとったしるしに相手の耳を切り取った。そのことから「とる」をあらわした。

ジャイアンにラジコンよこ取りされた～。

- 画数 8
- オン シュ
- くん とる

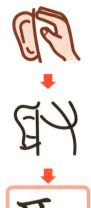

州

川の中に土や砂がたまった形。

川の中に土や砂がたまってできた島で「なかす」の意味をあらわした。

【川の中にできる島＝中州】中州に集落ができたりしたので、地域の区画の意味にも使うときがある。〈甲州、上州…〉

- 画数 6
- オン シュウ
- くん （す）

受

ものをつまむ手の形と、船と、右手の形。

船で運んできたにもつを船から岸へ、受けわたしすることから「うける」の意味をあらわす。

感しゃの気持ち、受けとって。

- 画数 8
- オン ジュ
- くん うける うかる

3年 [シ～シ]

(107)

糸をたばねた形と、泉の出口がふさがった形と、水のこおりはじめのすじの形で「冬」。(75ページ)

水がこおってかたまるように、糸のはしに結びめのかたまりをつくって、ぬい目の最後をとめることから「おわり」の意味をあらわす。

- 画数 11
- オン シュウ
- くん おわる / おえる

手の形と、集まるしるしと、口の形。

ちらばったものを手で集めろと、言いつけることから「ひろい集める」ことをあらわす。

【反対語】拾う↔捨てる 259ページ

- 画数 9
- オン （シュウ）・（ジュウ）
- くん ひろう

尾の短い鳥の形と、木の形。

木の上に鳥が集まることから「あつまる・あつめる」という意味をあらわす。

- 画数 12
- オン シュウ
- くん あつまる / あつめる / （つどう）

鳥の羽の形と、太陽から光が出ている形で「白」。

まだ羽が白っぽいひなが、けんめいにはばたいて親鳥から飛び方を習っていることで「ならう」の意味をあらわした。

- 画数 11
- オン シュウ
- くん ならう

3年【シ〜シ】

3年【シ〜シ】

こく物をふくろに入れて地面につんだ形。

つんである袋が重いことから「かさねる・おもい・おもさ」の意味をあらわす。

【反対語】
重い↔軽い
99ページ

画数 9
オン ジュウ・チョウ
くん おもい
　　 かさねる
　　 (え)

人と、台の上で火がもえている形。

じっとして燃えている火のように人がじっととどまるところ「すまい・すむ」をあらわした。

ぼくの住んでる家だよ。

画数 7
オン ジュウ
くん すむ
　　 すまう

とびらの形と、おのと木の形。

おのを持った番兵がいる戸口ということから「いどころ・ばしょ」の意味をあらわす。

【斤をもつ字】
新(67ページ)
断(225ページ)

画数 8
オン ショ
くん ところ

家のやねの形と、人の形と、しきものの形。

人が家の中にとまることで「やどや・とまること」をあらわす。

どうして宿題なんてあるんだろ。

画数 11
オン シュク
くん やど
　　 やどる
　　 やどす

重ねた箱の形と、うでの力こぶの形。

ものがつみかさなった形から「力をかさねる・たすける」の意味になった。

おくりがなに注意。
「助ける」
「助かる」

画数 7
オン ジョ
くん たすける
　　たすかる
　　（すけ）

太陽の形と、かまどでいろいろなこく物をにている形。

太陽のあつさと、かまどのあつさで、なつの「あつさ」をあらわした。

ぼくは暑いのがきらいなんだ。

画数 12
オン ショ
くん あつい

水の形と、「小」と肉の形で「小さくなる」こと。

水がだんだん少なくなっていくことで「きえる・なくなる」の意味をあらわす。

[反対語]
消える↔現れる
消極的↔積極的

画数 10
オン ショウ
くん きえる
　　けす

太陽の形と、ひれふしている人の形と口の形で「まねきよせる」こと。

日の光をまねきよせることで、光かがやくことから「明らか・かがやく」の意味をあらわす。

似ている字
「招」215ページ

画数 9
オン ショウ
くん

3年【シ～シ】

(110)

章

「音」と、ぼうをたばねた形で「十」。

音楽のひとまとまりということで「しきり・しるし・はっきりきわだつ」などの意味をあらわす。

「音」も見よう。25ページ

- 画数 11
- オン ショウ
- くん

商

「章（しるすの意味）」を略した形と、内と口でないしょではなすこと。

買い入れた値段をないしょにして、それより高い値段を記すことから「あきない・しょうばい」をあらわす。

「章」も見よう。111ページ

- 画数 11
- オン ショウ
- くん （あきなう）

乗

人が足を広げて木の上に乗っている形。

人が木の上に乗っていることで高い場所などに「のる」ことをあらわした。

- 画数 9
- オン ジョウ
- くん のる のせる

勝

船の形と、両手でものを持ち上げる形と、うでの力こぶの形。

とても重い船を持ち上げることから、力が上のものは「かつ・すぐれている」という意味になった。

【反対語】勝ち↔負け

- 画数 12
- オン ショウ
- くん かつ （まさる）

3年【シ〜シ】

(111)

いなびかりの形。

いなびかりは空からのびて地面にとどくことから「伝える・述べる・気持ちや考えを言う」の意味をあらわした。

画数 5
オン （シン）
くん もうす

↓

↓
申

木の形と、「直」。

木のなえをまっすぐ立てて育てることから「うえる」という意味をあらわした。

「直」も見よう。73ページ

画数 12
オン ショク
くん うえる／うわる

↓

↓
植

神をまつる祭だんの形と、いなびかりの形。

昔は、かみなりなどの自然の力は神の力だと思ったことから「かみ・たましい」の意味をあらわす。

画数 9
オン シン・ジン
くん かみ
 (*かん)
 (*こう)

↓

↓
神

子どもをみごもり、大きなおなかをした人の形。

赤ちゃんができた形で「からだ」をあらわした。

画数 7
オン シン
くん み

↓

↓
身

3年【シ〜シ】

さかさまの頭の形。

さかさまの頭は死んだことをあらわし、死ぬと、もう変わらない永遠のものだということから「まこと・ほんとう」の意味をあらわす。

画数 10
オン シン
くん ま

水の形と、かまどの穴と手と火かきぼうの形。

かまどのずっと奥をさぐるように、水底から水面までのきょりが長いことから「ふかい・ふかさ」をあらわす。

画数 11
オン シン
くん ふかい
ふかまる
ふかめる

道と足の形で「道を歩く」ことと、尾の短い鳥の形。

小さな鳥がすばしっこく歩くように「すすむ・前へ出る」の意味をあらわした。

画数 11
オン シン
くん すすむ
すすめる

十を3つ書いて下をつないだ形。

中国では昔、30年を一世といって、年数の長いことをあらわし「ときの区切り」の意味もあらわした。

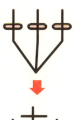

3年【シ〜セ】

画数 5
オン セイ・セ
くん よ

(113)

昔

何日も、日がつみかさなった形。

日数がたくさんかさなることで「すぎさった日々」の意味をあらわした。

子どものころのパパだ。

- 画数 8
- オン （セキ）・（*シャク）
- くん むかし

整

木をたばねる形と、手にムチを持った形と、目標をあらわす線と足で「正しい」こと。

たきぎをたばねて、トントンとたたいてそろえることから「そろえる・ととのえる」の意味をあらわす。

「正」も見よう。34ページ

- 画数 16
- オン セイ
- くん ととのえる／ととのう

相

木と目の形。

生いしげった木を見ることで、ものの形を見て目きき（見わけを）することから、「ようす・姿・形」の意味をあらわす。

ほかの意味
【いっしょに・同じに】
相手　相談
【助ける人・大臣】
文科相　首相

- 画数 9
- オン ソウ・（ショウ）
- くん あい

全

山の中に宝石がうまっている形。

山の中にうまっている原石をとってきて、みがき上げてかがやくようにすることで、「すっかり・まったく」の意味をあらわす。

どうやらかくしてる　全部ぼくのだぞ！

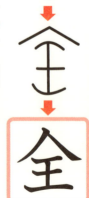

- 画数 6
- オン ゼン
- くん まったく／すべて

3年【セ〜ソ】

(114)

木の形と、目の形と、心臓の形で「こころ」のこと。

木に登って遠くを見通すように、ものごとを深く考えることで「おもう」の意味をあらわす。

画数 13
オン ソウ・(*ソ)
くん

道と足の形で「道を歩く」ことと、両手できねを持った形。

きねで何回もつく形で「続く」こと。主人の後に続いていくことから「おくる・とどける」の意味をあらわす。

画数 9
オン ソウ
くん おくる

道と足の形で「道を歩く」ことと、木をたばねた形。

木をきりっとたばねるように、きりっとすばやく歩くことから「はやい・はやさ」という意味をあらわす。

画数 10
オン ソク
くん はやい
はやめる・はやまる
(すみやか)

はなの形と、心臓の形で「こころ」のこと。

心おだやかなときに、はなで呼吸をすることから「やすらかないき」をあらわす。

画数 10
オン ソク
くん いき

3年【ソ〜ソ】

(115)

人と、マムシの形。

マムシは人にとっていやなもので「ほかへ行け」という気持ちから、「ほか・よそ」の意味をあらわす。

↓

↓

他

画数 5
オン タ
くん ほか

目じるしのはたの形と、矢の形。

はたの下に矢をたくさん集めておいたようすから「同じものを集めた仲間・たば」。そこから「みうち」の意味にも使われるようになった。

↓

↓
族

画数 11
オン ゾク
くん

楽器のかねをかける支柱と、右手の形。

2本の柱を手でそろえている形で一対のもののことから「そろう・向かい合う」の意味をあらわした。

楽器に関係する字を見てみよう。
楽・業・南・声

画数 7
オン タイ・(ツイ)
くん

手の形と、くぎの形。

手でくぎを打つことから「たたく・うつ・うちつける」の意味をあらわす。

打

画数 5
オン ダ
くん うつ

3年【ソ〜タ】

代

人と、国ざかいのしるしとして立てたくいの形。

国ざかいを守る兵士の代わりに立てたくいから「かわる・かわり」という意味になった。

むしゃくしゃするから、のび太の代わりになぐる。

↓

↓

代

画数 5
オン ダイ・タイ
くん かわる
　　　かえる
　　　よ・(しろ)

待

十字路の半分の形で「行く」ことと、手足をはたらかせることで「役所」のこと。

役所に行くと、人が順番を待っているというところから「まつ」の意味になった。

「直」も見よう。73ページ

↓

↓

待

画数 9
オン タイ
くん まつ

3年【タ～タ】

題

明るく(太陽)正しいことで、かくさないことと、あたまの形。

かみをそってひたいを出し、めじるしをつけさせたことから、「だい・見出し」などの意味をあらわした。

↓

↓

↓

題

画数 18
オン ダイ
くん

第

竹の葉の形で「竹」のことと、ぼうに草のつるがまきついた形。

竹につるがじゅんにまきついた形から「ものの順序」の意味をあらわす。

1コース、骨川スネ夫くん。

↓

第

画数 11
オン ダイ
くん

(117)

短い矢の形と、あしが長いうつわの形。

矢の短いものやおそなえ用のうつわは、長さが足りなかったり小さかったりで、あまり役に立たないということから「足りない・みじかい」という意味になった。

「豆」も見よう。122ページ

画数 12
オン タン
くん みじかい

山の形と、がけの形と、火の形。

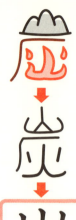

山のがけにかまをつくり、木をむしやきにして炭をつくることから「すみ・木炭」をあらわした。

「灰」も見よう。244ページ

画数 9
オン タン
くん すみ

ヒツジの顔の形と、わけるしるしと、目の形。

横にわけなければならないほどヒツジの毛がのびて、目につくことから「つく・くっつく・身につける」の意味をあらわした。

ソ王ノ目（そおうのめ）と覚えよう。

画数 12
オン チャク・(*ジャク)
くん きる
きせる
つく・つける

「言」と、火がさかんにもえている形。

火がさかんにもえるように、言葉がどんどん出てくることで「かたる」ことをあらわした。

「言」も見よう。55ページ

画数 15
オン ダン
くん

3年【タ〜チ】

(118)

柱

木の形と、ろうそく立ての上で火がもえている形。

ろうそくのようにじっと立っている木ということで「はしら」の意味をあらわした。

- 画数 9
- オン チュウ
- くん はしら

注

水の形と、台の上で火がもえている形。

灯火がじっと長くもえつづけるように、水を少しずつ流すことから「そそぐ」をあらわす。

- 画数 8
- オン チュウ
- くん そそぐ

3年【チ〜チ】

帳

布の形と、かみの毛の長い年よりの形で「長」(73ページ)。

部屋の中にたれさげて、しきりにする長い布のことで「とばり(カーテン)・ちょうめん」の意味をあらわした。

- 画数 11
- オン チョウ
- くん

丁

水や汁があふれ出る形。

入れものからあふれ出るほどいきおいがよいことから「わかもの・念を入れる」などの意味をあらわした。

「丁」と数えるもの
豆腐・包丁

- 画数 2
- オン チョウ・(テイ)
- くん

(119)

道と足の形で「道を歩く」ことと、がけの断層の形で「岡」のこと。

岡の上へ行った人を追いかけていくことから「おいかける」という意味をあらわした。

↓

↓
追

- 画数 9
- オン ツイ
- くん おう

「言」と、板にくぎを押し通す形と、口の形。

くぎが下まで通るように、言葉や行いを行きわたらせることから「ととのえる」の意味をあらわす。

「言」も見よう。55ページ

↓

↓
調

- 画数 15
- オン チョウ
- くん しらべる
  （ととのう）
  （ととのえる）

一方をがけに寄りかからせた家の形と、「人」と「土」と、道をのばした形。

「廷」は儀式を行う場所。それに家の形をつけて中庭のこと。今は「にわ」のことをあらわす。

↓

↓
庭

- 画数 10
- オン テイ
- くん にわ

家のやねの形と、一定のところまで歩いて足が止まること。

ひとつの家に落ち着いて動かないでおさまることから「さだめる・さだめ」の意味をあらわす。

↓
定

- 画数 8
- オン テイ・ジョウ
- くん さだめる
  さだまる
  （さだか）

3年【チ〜テ】

鉄

山に黄金がまじっている形で「金属」のことと、神にいのりをささげているうちにうっとりとして気を失うこと。

金だと思ってうっとりして、ほりだしてみたら、別のかたい金属だったということで「てつ・かたくて強いこと」をあらわした。

- 画数 13
- オン テツ
- くん

笛

竹の葉の形で「竹」のことと、枝に下がった丸い実の形。

竹に丸い穴を開けて音が出るようにした「ふえ」のことをあらわした。

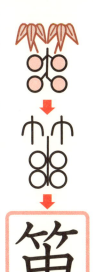

- 画数 11
- オン テキ
- くん ふえ

都

かまどでいろいろなこく物をにている形と、領地とひざまずく人の形で「村」の形。

かまどでいろいろなこく物をにるように、村をたくさん集めたような「にぎやかで大きなまち」をあらわす。

- 画数 11
- オン ト・ツ
- くん みやこ

転

車の形と、品物がつんである形。

つまれた品物を車で運んで移動することから「うつしかえる・ころがす」の意味をあらわす。

- 画数 11
- オン テン
- くん ころがる
     ころげる
     ころがす
     ころぶ

3年【テ〜ト】

手の形と、ほこを手に持った形。

ほこを持って投げることから「なげる」意味をあらわした。

画数 7
オン トウ
くん なげる

一方をがけに寄りかからせた家の形と、二十という字で「たくさん」のことと、手の形。

家の大きさを手を広げてはかることから「めもり・ていど」などの意味をあらわす。

画数 9
オン ド・(*タク)・(*ト)
くん (たび)

尾の長い鳥の形と、山の形。

海の上を飛んでいる鳥がとまって休むことができる山のことで「しま」をあらわした。

画数 10
オン トウ
くん しま

ほそ長いあしのついたうつわの形。

肉をもるうつわのことだったが、植物の豆という意味の発音と同じだったことから「まめ」の意味に使われるようになった。

大豆は畑の肉とよばれているのよ。

画数 7
オン トウ・*ズ
くん まめ

3年【ト〜ト】

両足の形と、ふみ台の形。

両足でふみ台に上がる形から「のぼる・上がる」の意味をあらわした。

画数 12
オン トウ・ト
くん のぼる

登

水の形と、太陽の下でふきながしがはためく形。

ふきながしが太陽の光であたたまるように、水があたたまったもの、「ゆ」をあらわす。

似ている字
場・陽

画数 12
オン トウ
くん ゆ

湯

かさなった重いにもつの形と、うでの力こぶの形。

重いものでも力をくわえれば、動かすことができるということで「うごかす・うごく」という意味をあらわす。

画数 11
オン ドウ
くん うごく
　　 うごかす

動

竹の葉の形で「竹」のことと、手足の形で役所のこと。

文字を書くための竹ででき た板の長さを、役所でそろ えたところから「同じ・ひとしい」の意味をあらわす。

【反対語】
上等↔下等

画数 12
オン トウ
くん ひとしい

等

3年【ト〜ト】

(123)

両手と田んぼの形と、2枚貝の足が動いている形で「辰」。

「辰」はもともと貝が足を出して動いている形だったが、昔の時刻で明け方をあらわす漢字としても使われた。「農」は朝早くから田畑に出て仕事をするということから「田畑をたがやす」意味をあらわした。

画数 13
オン ノウ
くん

農

いれずみの針と重いものの形。

元は男のどれいのことだったが、一般のおとなよりおとるという意味で、子どもの意味になった。

「わらべ」は、「子ども」の昔の言い方。

画数 12
オン ドウ
くん (わらべ)

童

かめに酒が入っている形と、ひざまずいている人の形。

酒を人びとに配りすすめることから「くばる・割り当てる」の意味をあらわす。

画数 10
オン ハイ
くん くばる

配

水の形と、動物の皮を手ではいでいる形で「皮」のこと。

「皮」は表面がうねうねしている意味。それと水で、水面に起こる「なみ」をあらわした。

画数 8
オン ハ
くん なみ

波

3年【ト〜ハ】

(124)

竹の葉の形で竹のことと、木と目の形で「相」。(114ページ)

竹でつくられた「入れものとふた」の一組ということで「はこ」をあらわした。

■画数 15
■オン
■くん はこ

↓
相
↓
箱

人と、花のつぼみがふくらんだ形。

つぼみがふくらんで、花びらが増えるように人が増えること、「2ばいになる・ふえる」の意味になった。

■画数 10
■オン バイ
■くん

↓
倍

両足の形と、とりいの形。

旅に出るとき、おまいりしてから出かけたので「出かける」の意味をあらわす。

3年
【ハ〜ハ】

■画数 9
■オン ハツ・(ホツ)
■くん

↓
开
↓
発

火の形と、田んぼの形。

草や木をやいてたがやし、畑にしたことから「はたけ」をあらわした。

【畑ちがい】専門の違う分野や、仕事のこと。

■画数 9
■オン
■くん はた
　　　　はたけ

↓

↓
畑

(125)

木や草が芽を出している地面の形で「土」と、手で板を押してそり返らせる形。

そり返らせた板のようにかたむいている地面のことで「さか」をあらわした。

画数 7
オン （ハン）
くん さか

板を手で押している形。

手で押された板はそっくり返り、手をはなすと元にもどることから「そる・もどる・はね返る」の意味をあらわした。

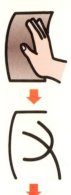

画数 4
オン ハン（*タン）・（*ホン）
くん そる　そらす

けものの皮を手ではいでいる形。

けものの皮をはぐ形から「かわ・ものの表面をおおうもの」の意味をあらわす。

画数 5
オン ヒ
くん かわ

木の形と、板を手で押している形で「反」。（上の解説）

「反」ははね返ること、手で押してはなすとはね返る木ということで「いた」のことをあらわした。

画数 8
オン ハン・バン
くん いた

3年【ハ～ヒ】

(126)

美

ヒツジの顔の形と、人が両手両足を開いて立っている形で「大」のこと。

大きなヒツジはりっぱに太って美しいということから「うつくしい・おいしい」などの意味をあらわす。

「羊」も見よう。134ページ

- 画数 9
- オン ビ
- くん うつくしい

悲

広げた羽が反対になっている形で「反対」のことと、心臓の形で「こころ」のこと。

相手と気持ちが合わず心をいためることから「かなしい」の意味をあらわす。

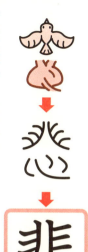

- 画数 12
- オン ヒ
- くん かなしい / かなしむ

3年【ヒ〜ヒ】

筆

竹の葉の形で「竹」のことと、手に筆を持っている形。

じくが竹でできた筆を持っている形から「ふで」をあらわした。

- 画数 12
- オン ヒツ
- くん ふで

鼻

はなの正面の形と、おくりものをのせた台の形。

空気をからだの中へおくる場所という意味から「はな」をあらわした。

- 画数 14
- オン (ビ)
- くん はな

表

毛皮の上に着物を着ている形。

内側に毛皮を着て、外側に布の着物を着たところから「おもて・そと」の意味をあらわす。

↓

↓
表

- 画数 8
- オン ヒョウ
- くん おもて
  あらわす
  あらわれる

氷

こおりはじめのすじの形と、水の形。

水がこおってかたくなることで「こおり」の意味をあらわす。

氷

- 画数 5
- オン ヒョウ
- くん こおり
  （ひ）

病

病気で人がねている形と、かまどの中で火がもえている形。

火のように熱があってねていることから「びょうき」の意味をあらわす。

病

- 画数 10
- オン ビョウ・(*ヘイ)
- くん やまい
  （やむ）

秒

イネのほがたれている形と、小さいものをわけてさらに小さなものにした形。

イネのほ先にあるノギのことで、とても細く小さいもの、「わずかなもの」という意味をあらわす。

↓

↓

秒

- 画数 9
- オン ビョウ
- くん

3年【ヒ〜ヒ】

(128)

負

人がかがんでいる形と、貝の形で「お金」のこと。

人が財産やお金をせおう形から「せおう」の意味になり、「こうむる・まける」の意味にもなった。

画数 9
オン フ
くん まける まかす おう

品

口が3つ。

おおぜいの人をあらわし、さらに意味が広がって、「多くのもの・しなもの」の意味をあらわした。

ほかの意味
【人やものが持っている感じ】
品格・気品・上品・下品

画数 9
オン ヒン
くん しな

服

船の形と、人のあたまを押さえて命令を聞かせる形。

命令を受けて船で任地に行って役目をはたすことから「したがう・ふくする」の意味をあらわし、さらに「自分のものにする・身に着ける・着物」の意味にもなった。

「服従」したがう
「洋服」きるもの
「服用」のむ

3年【ヒ～フ】

画数 8
オン フク
くん

部

花のつぼみがふくらんだ形で「割れて増える」ことと、領地とひざまずく人の形。

国を細かくわけた村里のことから「わける・区分けする」の意味をあらわす。

【反対語】
部分⇔全体

画数 11
オン ブ
くん

物

ウシの顔の形と、ふきながしの形。

ふきながしのようにむれになって動くたくさんのウシは、色や大きさもいろいろなことから「いろいろなもの」の意味をあらわした。

ひみつ道具にはいろいろな物があるんだよ。

- 画数 8
- オン ブツ・モツ
- くん もの

福

神をまつる祭だんの形と、品物がたくさん入った倉の形。

ものがつまっている倉のように、神のめぐみが豊かなことから「しあわせ」の意味をあらわす。

- 画数 13
- オン フク
- くん

返

道と足の形で「道を歩く」ことと、板を手で押している形。

手をはなすと元にもどる板のように、今行った道をもどってくることから「ひきかえす・もどす」の意味になった。

返さないんじゃない。一生かりるだけだ。

- 画数 7
- オン ヘン
- くん かえす / かえる

平

浮き草が水に浮いている形で「平ら」の意味をあらわした。

スネ夫の頭って平らだな。

- 画数 5
- オン ヘイ・ビョウ
- くん たいら / ひら

3年【フ〜ヘ】

つないだ2そうの船の形と、手にむちを持った形。

悪いことをした人をむちでたたいてふねで島流しにすることから「おいはらう・はなす」の意味をあらわした。

- **画数** 8
- **オン** ホウ
- **くん** はなす・はなつ・はなれる・ほうる

↓

↓

ウサギの形と、うでの力こぶの形。

ウサギは動きが速くつかまえるのがむずかしい、そのウサギをとらえようとがんばることから「はげむ・精を出す」という意味になった。

- **画数** 10
- **オン** ベン
- **くん**

集まるしるしと、ひざまずく形と、囗の形。

集まってひざまずいている人に命令することから「いいつける」の意味、また天からのさだめという意味で「いのち」の意味をあらわした。

- **画数** 8
- **オン** メイ・(ミョウ)
- **くん** いのち

口の形と、木の枝に実がなった形。

木の実が甘くなったか食べて味をみることから「あじ・あじわう」の意味になった。

- **画数** 8
- **オン** ミ
- **くん** あじ・あじわう

3年 [ヘ〜メ]

(131)

門の形と口の形。

口はものごとをたずねるときの声が出る門ということから「たずねる」の意味をあらわす。

↓

問

↓

問

- 画数 11
- オン モン
- くん とう / とい / *とん

顔にお面をつけた形。

お面をかぶった形から、「おめん・顔・外側」などの意味になった。

↓

↓

【特別な読み】
真面目〈まじめ〉

- 画数 9
- オン メン
- くん （おも）（おもて）（つら）

草の生えている形と、楽器と台の形で「楽」。（50ページ）

病気のときに飲ませると、楽になる草のことから「薬」の意味をあらわす。

- 画数 16
- オン ヤク
- くん くすり

十字路の半分の形で「行く」ことと、ほこを持った手の形。

ほこを持って国ざかいを守る形から「役目・つとめ」の意味をあらわした。

- 画数 7
- オン ヤク・（エキ）
- くん

3年【メ～ヤ】

水の形と、枝に下がった木の実の形。

木の実からしぼってとれる液体のことで「あぶら」をあらわした。

画数 8
オン ユ
くん あぶら

枝にたれ下がっている実の形。

植物が、芽→花→実と育つことから「できあがるわけ」という意味になり、枝になるということから「よる・そう」という意味もあらわす。

画数 5
オン ユ・ユウ・(*ユイ)
くん (よし)

3年 [ユ〜ユ]

道と足の形で「道を歩く」ことと、はたの下で子どもが遊んでいる形。

はたのところで子どもがあっちへ行ったりこっちへ行ったり遊んでいることから「あそぶ」の意味になった。

画数 12
オン ユウ・(*ユ)
くん あそぶ

右手の形と、肉の形。

けものの肉を持って「持っているよ、あるよ」というところから「ある・もつ」の意味になった。

画数 6
オン ユウ・(ウ)
くん ある

(133)

ヒツジの顔の形。

つのが長いヒツジの顔を正面から見た形で「ヒツジ」をあらわした。

中国では昔、ヒツジは家畜の中でいちばん美しく、性質もよい動物だとされていた。美・善などの字は「羊」という字を元にしているよ。

↓

↓

画数 6
オン ヨウ
くん ひつじ

いろいろな品物の中から引っぱる形。

人に品物をあげるとき、あれがいいかこれがいいかと、あらかじめ考えておくことから「あらかじめ」の意味をあらわす。

たん生日プレゼントは何がいいかな。

画数 4
オン ヨ
くん

草の生えている形と、木の枝に葉っぱがしげっている形。

木の枝についている青い草のようなものということから「は」の意味をあらわした。

葉っぱの服よ。

↓

画数 12
オン ヨウ
くん は

水の形と、ヒツジの顔の形。

ヒツジは大きく美しいということ。大きな水で「大きくて広い海」をあらわした。

大きくて広い海はいくつかあるよ。
太平洋
大西洋
南氷洋
インド洋

↓

↓

画数 9
オン ヨウ
くん

3年【ヨ〜ヨ】

様

木の形と、姿のよいヒツジの形。

ヒツジのように姿形の美しい木のことから「形・ありさま」の意味をあらわす。

> べつの意味
> 「ていねいな気持ちをあらわすことば」
> ○○様・皆様・ごくろう様

画数 14
オン ヨウ
くん さま

陽

がけの断層の形で「つみ上げた土」のことと、太陽とふきながしの形。

ふきながしが太陽の光にあたっているように、がけにおだやかに日が当たることで「山の南側」のことだったが、今は「たいよう」の意味にもなった。

画数 12
オン ヨウ
くん

3年【ヨ～リ】

流

水の形と、さかさまの子どもの形と、川の形。

お産のときに、羊水で赤ん坊が流れ出る形で「ながれる」という意味をあらわす。

流れ星

画数 10
オン リュウ・(*ル)
くん ながれる ながす

落

草の生えている形と、水の形と、ひとつひとつという意味の「各」。

草の葉や水のしずくが、ひとつひとつ落ちることから「おちる」の意味をあらわした。

> 「各」も見てみよう。
> 145ページ

画数 12
オン ラク
くん おちる おとす

(135)

車の両輪の形。

車の両輪のように、対になっている左右同じ形のもののことから「ふたつ・どちらも」の意味をあらわす。

画数 6
オン リョウ
くん

めじるしのはたの形と、人が並んでいる形。

はたの下に集まり、列をつくって進む兵隊のことから「たび・たびする」の意味をあらわす。

似ている字「族」

画数 10
オン リョ
くん たび

神をまつる祭だんの形と、人がひざまずいてお祈りをする形。

祈るときおじぎをすることから「おじぎ・うやまう気持ち」の意味をあらわす。

画数 5
オン レイ・(ライ)
くん

糸をたばねた形と、彫刻刀で、けずっている形。

彫刻刀でけずった竹や木の皮のようにきれいにそめた糸の色から「みどり」の意味をあらわす。

「録」も見てみよう。189ページ

画数 14
オン リョク・(*ロク)
くん みどり

3年【リ〜レ】

練

糸をたばねた形と、木をたばねた形と、わけるしるし。

たきぎで火をもやし、糸をにて、つやを出したり、強さを増したりすることから「きたえる・ねる」の意味をあらわす。

画数 14
オン レン
くん ねる

↓
練
↓
練

列

ほねの形と、刀の形。

けもののほねと肉を刃もので切りきざんで、並べることから「れつ・並べる」という意味をあらわす。

画数 6
オン レツ
くん

↓

↓
列

3年 [レ〜ワ]

和

イネのほがたれている形と、口の形。

イネがよく実り、喜び合うことから「なごやか・おだやか」の意味になった。

たし算の答えのことも「和」というよ。

画数 8
オン ワ・(*オ)
くん やわらぐ
やわらげる
なごむ
なごやか

路

足ぜんたいの形と、反対の足と口の形。

やってきた人がそれぞれちがうことを言うように、人の足がいろいろな方向へ行き来する「みち」をあらわした。

画数 13
オン ロ
くん じ

↓

↓
路

(137)

●4年生の漢字もくじ●
（200字・アイウエオ順。同じ読みの場合は画数の少ない順）

愛案以衣……140	位囲胃印……141	英栄塩億……142	加果貨課……143
芽改械害……144	街各覚完……145	官管関観……146	願希季紀……147
喜旗器機……148	議求泣救……149	給挙漁共……150	協鏡競極……151
訓軍郡径……152	型景芸欠……153	結建健験……154	固功好候……155
航康告差……156	菜最材昨……157	札刷殺察……158	参産散残……159
士氏史司……160	試児治辞……161	失借種周……162	祝順初松……163
笑唱焼象……164	照賞臣信……165	成省清静……166	席積折節……167
説浅戦選……168	然争倉巣……169	束側続卒……170	孫帯隊達……171
単置仲貯……172	兆腸低底……173	停的典伝……174	徒努灯堂……175
働特得毒……176	熱念敗梅……177	博飯飛費……178	必票標不……179
夫付府副……180	粉兵別辺……181	変便包法……182	望牧末満……183
未脈民無……184	約勇要養……185	浴利陸良……186	料量輪類……187
令冷例歴……188	連老労録……189		

(139)

4年【ア～イ】

案

人が家にいる形で「安らか」なことと、木の形。

人が安らげる木というのは落ち着いて考えられるテーブルのことで「計画・考え」の意味をあらわした。

画数 10
オン アン
くん

愛

手と船の形と、心臓の形と、さかさまの足の形。

船がなかなか進まないように、気がせくわりに足も心も思うように進まないということで「あいする」の意味をあらわす。

画数 13
オン アイ
くん

衣

着物のえりの形。

着物のえりの形で「ころも・着物」の意味をあらわした。

画数 6
オン イ
くん (ころも)

以

鼻の形（自分の意味）と、人の形。

自分と人を比べてまねるには、人のくせなどをもちいてまねるということから、「もって・もちいて」などの意味をあらわした。

画数 5
オン イ
くん

4年【イ〜イ】

囲

かこいの形と、井戸の形。

井戸のまわりにかこいをつくることから「かこむ・まわり」の意味をあらわした。

- 画数 7
- オン イ
- くん かこむ／かこう

↓

↓
囲

位

人と、人が地上に立っている形。

人が並んで立つとき、身分によって立つ場所が決まっていたことから「くらい・場所」の意味をあらわした。

- 画数 7
- オン イ
- くん くらい

↓
位

印

指先の形と、ひざまずいている形。

ひざまずいている人を上から押さえつけてしたがわせることだったのが、後に上からおさえて押す「はんこ」の意味になった。

- 画数 6
- オン イン
- くん しるし

↓

↓
印

胃

ふくろの中に食べものが入った形と、肉の形で「からだ」のこと。

からだの中にある食べものが入るふくろのことで「いぶくろ」をあらわす。

> 肉を意味する「月」を使った字をさがそう。腹・胃・腸・ほかにもあるよ

- 画数 9
- オン イ
- くん

↓
胃

(141)

4年【エ～オ】

栄

かがり火がもえている形と、木の形。

かがり火がもえているように木に花がいっぱいさくことで「さかえる・さかん」という意味をあらわす。

- 画数 9
- オン エイ
- くん さかえる
  （はえ）
  （はえる）

英

草の生えている形と、広場の真ん中にえらい人が立っている形。

草が成長し、真ん中がりっぱになることで「すぐれている・ぬきん出ている」の意味をあらわす。

イギリスを「英国」と書くときがあるよ。では、米国は？
80ページ

- 画数 8
- オン エイ
- くん

億

人と、音と心で「思ったことを言う」こと。

人が言うことは何度も変わる、それは千や万より多いので「数がとても多い」意味になった。

100000000

1億は0が8つ。

- 画数 15
- オン オク
- くん

塩

木や草が芽を出している地面の形で「土」と、人と口と皿の形。

地面からとれた塩「岩塩」を皿に入れてなめている形で「しお」をあらわした。

「塩」海水などからとるしお。
「潮」海のみちひき。海流。
273ページ

- 画数 13
- オン エン
- くん しお

(142)

4年【カ〜カ】

木の枝に熟したくだものがなっている形。

木にくだものがなっている形から「くだもの」の意味をあらわす。また成長の終わりということから「はて・終わり・結果」の意味もあらわす。

画数 8
オン カ
くん はたす
　　 はてる
　　 はて

うでの力こぶの形と、口の形。

口ばかりでなく、その上に手のはたらきも加えるということで「くわえる（たす）」という意味をあらわす。

↓

↓

画数 5
オン カ
くん くわえる
　　 くわわる

「言」と、木の実がなっている形。

木にくだものをならせるように、ある仕事を言いつけて「結果をみのらせる」意味をあらわす。

「言」も見よう。
55ページ

↓

画数 15
オン カ
くん

人のさかさまの形で「変わる」ことと、貝の形で「お金」のこと。

お金（貝）は、品物にかえることができることから「お金・財産」の意味をあらわした。また財産のことから「にもつ」の意味もあらわす。

画数 11
オン カ
くん

(143)

4年【カ〜カ】

ひざまずく形と、手にむちを持った形。

悪いことをした人をむちでたたいて改めさせることから「なおしてよくする」という意味をあらわした。

画数 7
オン カイ
くん あらためる
　　 あらたまる

草の生えている形と、ふぞろいのきばの形。

ふぞろいに生えてくる植物の芽のことで木や草などの「め」の意味をあらわす。

画数 8
オン ガ
くん め

家のやねの形と、草がしげる形と、口の形。

雑草がどんどん増えて害になるように、うわさ話が広がっていくことから「わざわい・そこなう」の意味をあらわした。

画数 10
オン ガイ
くん

木の形と、武器を両手で持つ形で「いましめる」こと。

悪いことをした人をいましめるための木でできた道具のことで「しかけ・しくみ」の意味をあらわした。

画数 11
オン カイ
くん

4年【カ〜カ】

各

反対向きの足と、口の形。

歩いてもどってきて報告する人の言うことが、同じでないことから「べつべつ・めいめい」の意味になった。

「各地で料理の味がちがうわね。」

画数 6
オン カク
くん （おのおの）

→ 各

街

十字路の形と、土をきれいに盛り上げた形。

きちんと整地され道がまっすぐにのびていることから「大通り・大きなまち」をあらわした。

「町」も見よう。
39ページ

→
→ 街

画数 12
オン ガイ・(*カイ)
くん まち

完

家のやねの形と、「上」の形と、人の形。

上に立つ人はりっぱなので「すっかり・そろっている」の意味をあらわした。

「完成。」

画数 7
オン カン
くん

→ 完

→ 完

覚

ものを学ぶたてものの形と、「見」。

学びよく見ることから「おぼえる・さとる」の意味をあらわす。

「見」と「学」も見よう。
28ページ
26ページ

→
→
→ 覚

画数 12
オン カク
くん おぼえる
さます
さめる

(145)

4年【カ～カ】

管

竹の葉の形で竹のことと、役所のたてものの形。

役所の仕事のようにきちんと決まった方法でつくられた竹の楽器「ふえ」のことをあらわし、そこからふえのような形をした「くだ」の意味にもなった。

似ている字「官」

- 画数 14
- オン カン
- くん くだ

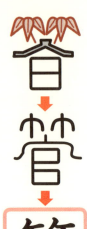

官

家のやねの形と、地層のあるがけの形。

地層はつみかさねた集まりという意味で、多くの人が集まる家、「役所」の意味になり、そこではたらく「役人」も意味するようになった。

ロボ警官でジャイアンをたいほ。

- 画数 8
- オン カン
- くん

観

しっぽの短いすばしっこい鳥の形と「見」。

すばしっこく、大きな目で見ることで、「念入りによく見る・ながめる」の意味をあらわした。

- 画数 18
- オン カン
- くん

関

門の形と、かんぬきと両手の形。

門にかんぬきをかける形で「せきしょ・出入り口」の意味をあらわす。

玄関。

- 画数 14
- オン カン
- くん せき
  かか**わる**

(146)

4年【カ〜キ】

希

交わるしるしと、布の形。

X印のようなししゅうをした布のことで、めずらしくてあまり手に入らないところから「まれ・願う」の意味をあらわす。

画数 7
オン キ
くん

願

がけの下の泉と、人のかお。

泉に顔を映して見て、美しくなりたいと思うことから、「願い」の意味をあらわした。

背が高くなりたい。

画数 19
オン ガン
くん ねがう

紀

糸をたばねた形と、こんがらがった糸のはしの形。

こんがらがった糸を順序よくほぐしていくことから「ものごとのすじ道・決まり」の意味をあらわす。

画数 9
オン キ
くん

季

イネのほと、子どもの形。

実ってできた子というのはタネのこと。イネをとり入れる「時期」であり、米作りの最後なので「終わり」の意味もあらわす。

日本には春夏秋冬の四季があるよ。

画数 8
オン キ
くん

(147)

4年【キ〜キ】

旗

めじるしのはたの形と、四角い台の上にものがのっている形。

台は指揮官のいる場所をあらわし、その上にひるがえっているはたから「はた」の意味をあらわした。

画数 14
オン キ
くん はた

喜

楽器とそれをのせる台と、口の形。

音楽をかなで、神に祈っては喜びを口に出すということから「よろこぶ」という意味をあらわした。

画数 12
オン キ
くん よろこぶ

機

木の形と、はたおりの道具の形。

木でできた はたおりの道具のことから「はたおり・しかけ・きかい」の意味をあらわした。

画数 16
オン キ
くん (はた)

器

人のまわりにうつわがたくさんある形。

まわりに食べものを入れるものがたくさんあることから「うつわ・入れもの」などの意味をあらした。

画数 15
オン キ
くん (うつわ)

(148)

4年【キ〜キ】

求

毛が生えた手の形。

手に生えている毛で皮の衣服のことをあらわし、みんながそれをほしがったので「ほしがる・もとめる」の意味になった。

- 画数 7
- オン キュウ
- くん もとめる

議

「言」と、ヒツジの顔と手とほこで「折り目正しい」こと。

姿の美しいヒツジのように、きちんとして話すことから「話し合う」の意味をあらわす。

「言」も見よう。
55ページ

- 画数 20
- オン ギ
- くん

救

手のまわりに毛が生えた形で「毛皮」のことと、手にむちを持った形。

たおれていた人をたたいて気づかせ毛皮を着せかけてやることで「すくう・助ける」の意味をあらわした。

- 画数 11
- オン キュウ
- くん すくう

泣

水の形と、人が前を向いて立っている形。

人が流す水ということで「なみだを流してなく」という意味をあらわした。

「泣く」なみだを流してなくこと。「鳴く」鳥や動物がなくこと。

- 画数 8
- オン (キュウ)
- くん なく

(149)

4年【キ〜キ】

挙

ゾウのきばの形と、手の形。

ゾウのきばは大きく貴重なもの、それを手で持ち上げ大事に運ぶことから「高くかかげる・持ち上げる」の意味をあらわす。

- 画数 10
- オン キョ
- くん あげる／あがる

給

糸をたばねた形と、あちこちから集まるしるしと口の形で「合」。(59ページ)

おり糸のたりないところに、別の糸を合わせておぎなうことで「たりる・与える」の意味をあらわす。

「給料」ははたらいたかわりに支払われるお金。

- 画数 12
- オン キュウ
- くん

共

数の二十と両手の形。

大ぜいの人が力を合わせることから「ともに・いっしょに」の意味をあらわす。

- 画数 6
- オン キョウ
- くん とも

漁

水の形と、魚の形。

水にもぐって魚をとることから「りょう・魚をとる」の意味をあらわした。

- 画数 14
- オン ギョ・リョウ
- くん

(150)

4年 [キ〜キ]

山に黄金がまじっている形で「金属」のことと、「音」と人の足の形。

音と人の足の組み合わせは、音楽のひと区切りということで「さかいめ」の意味。むかし、鏡は金属をみがいてつくられたので、実物と映ったもののさかいめということで「かがみ」のことをあらわした。

画数 19
オン キョウ
くん かがみ

ぼうをまとめた形と、力こぶの形の「力」を3つかさねた。

みんなの力をまとめることで「たくさんの人が力や心を合わせる」という意味をあらわす。

画数 8
オン キョウ
くん

木の形と、手も声もとどかないほど高いところを意味する形。

もっとも高いところまでのびた木のことで「果て・きわまる・きわめて」の意味をあらわす。

画数 12
オン キョク・(ゴク)
くん (きわめる)
　　(きわまる)
　　(きわみ)

ふたりの人の上に「言」がついた形。

ふたりの人が言いあらそう形から「きそう・あらそう」の意味をあらわす。

「言」も見よう。
55ページ

画数 20
オン キョウ・ケイ
くん (きそう)
　　(せる)

(151)

軍

かこむしるしと、車の形。

ぐるりと兵士が戦車を取りまいた形で「ぐんたい・いくさ」の意味をあらわす。

画数 9
オン グン
くん

訓

「言」と、川の形。

川が流れるように、言葉にすなおにしたがわせることで「教える・みちびく」の意味をあらわした。

【訓読み】漢字に日本語をあてた読み方。
【音読み】むかしの中国の発音をもとにした読み方。

画数 10
オン クン
くん

4年【ク〜ケ】

径

十字路の半分の形で「行く」ことと、はたおり機にたて糸が張ってある形。

はたおり機の糸の間のように細いすきまのような道のことで「小道」をあらわした。

画数 8
オン ケイ
くん

郡

右手にぼうを持っている形と口の形で「命令する君主」のことと、領地とひざまずく人の形で「村」のこと。

もとは君主の領地のことだったのが、いまは都道府県の中を区切る地理上の単位のひとつ。

画数 10
オン グン
くん

(152)

4年【ケ〜ケ】

景

太陽の形と、岡の上の高いたてものの形。

太陽の光と、たてもののかげのことから「けしき」の意味をあらわした。

〉〉〉をつけると影という字になるよ。

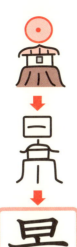

画数 12
オン ケイ
くん

型

わくの形と、刀の形と、木や草が芽を出している地面の形で「土」。

土でいがたをつくり金属を流しこんで刀などをつくったことから「かた」という意味をあらわした。

クッキーの型よ。

画数 9
オン ケイ
くん かた

欠

大きな口を開けて、あくびをしている形。

人前であくびをするのは礼ぎにかけるので、「かける・たりない」の意味。

「欠」を使った字を探そう。
次・歌・姿・欲・飲

画数 4
オン ケツ
くん かける
かく

芸

草の生えている形と、ものをきちんとかさねる形。

植物を毎年きちんと育てることで「草木を植えること」の意味をあらわした。またその育てる方法・能力のことから「わざ」の意味にも使われるようになった。

画数 7
オン ゲイ
くん

(153)

4年【ケ〜ケ】

建

道をのばした形で「ゆっくり行く」ことと、手に筆を持っている形。

法律や意見を書きとめることで、じっくり文章をつくることから「つくる・たてる」ことをあらわした。

- 画数 9
- オン ケン・(*コン)
- くん たてる / たつ

結

糸をたばねた形と、入れものにふたがしっかりしてある形。

ふくろのような入れものの口をひもでしっかりしばることで「ゆわえる・むすぶ」の意味をあらわす。

「かみをふたつに結ぶのがお気に入りよ。」

- 画数 12
- オン ケツ
- くん むすぶ / (ゆう) / (ゆわえる)

験

ウマの形と、集まるしるしと、口と人の形。

人が集まって口々に、よいウマかどうかを言い合い、確かめることから「しらべる・ためす」という意味をあらわした。

「ただいま実験中。」

- 画数 18
- オン ケン・(*ゲン)
- くん

健

人と、字を書いている形。

人が字をすらすらと書くように、心配なく「すこやかに・そだつ」という意味をあらわす。

「健やかに大きくどこまでものびてほしくて「のび太」なんだよ。」

- 画数 11
- オン ケン
- くん (すこやか)

4年 [コ〜コ]

功

ものさしの形と、うでの力こぶの形。

力をつくして、きちんと仕事をしたりっぱなできあがりということから「できばえ」の意味をあらわす。

画数 5
オン コウ・(*ク)
くん

固

かこいの形と、十代も前から伝えられた大切なもの。

昔から守り続けてきた大切なものをげんじゅうにかこむことで、「かたい・もとから」の意味をあらわす。

画数 8
オン コ
くん かためる
かたまる
かたい

候

人と、弓矢でまとをねらっている人の形。

まとをねらいうかがうように、人が人の「ようすをうかがう」意味をあらわす。

【斥候】軍隊の先にいて、ていさつする人のこと。【候補】選挙に出ている人。

画数 10
オン コウ
くん (そうろう)

好

女の人の形と、赤ちゃんの形。

女と子を合わせて若い女「むすめ」をあらわし、むすめは美しいものということから「よい・すき」の意味になった。

画数 6
オン コウ
くん このむ
すく

(155)

一方をがけに寄りかからせた家の形と、手にきねを持ってこく物をつく形。

昼間は外ではたらいて、夜も家でこく物をついてはたらくことから「からだがじょうぶ・けんこう」の意味をあらわす。

↓

康

↓

康

画数 11
オン コウ
くん

船の形と、まっすぐに立った首すじの形。

船が水の流れにしたがってまっすぐに進むことから「船や飛行機が進む」という意味をあらわす。

↓

航

↓

航

画数 10
オン コウ
くん

4年【コ〜サ】

イネのほがたれた形と、左手とものさしで「左」のこと。

他の植物とはちがって、イネなどは実ると、ほがたれ下がる。左手は右手より器用ではない。どちらもちがいがあるということから「ちがい」という意味をあらわした。

引き算の答えのことを「差」というよ。

↓

↓

差

画数 10
オン サ
くん さす

ウシの顔と、口の形。

神さまにウシをおそなえして、願いを申し上げることから「つげる・知らせる」の意味をあらわす。

↓

↓

告

画数 7
オン コク
くん つげる

(156)

4年 [サ〜サ]

最

相手の帽子に手を入れて、耳を取っている形。

いくさでは、敵をうちとり、その証拠として耳を取ることが、もっとも重要なことであったことから「もっとも」という意味をあらわすようになった。

「取」も見よう。107ページ。

- 画数 12
- オン サイ
- くん もっとも

菜

草の生えている形と、ものをつかむ手の形と木の形で「つみとる」こと。

草の中から食べられる葉をつみとることで「なっぱ・やさい・おかず」の意味をあらわす。

- 画数 11
- オン サイ
- くん な

昨

太陽の形で「きょう」のことと、つくりかけの家の形。

今つくっている家が、前はこのくらいしかできていなかったということで「きのう・ひとまわり前」の意味をあらわす。

特別な読み方　昨日（きのう）

- 画数 9
- オン サク
- くん

材

木の形と、土の上に芽が出た形で「生まれ持った能力」のこと。

板や柱などの材料として、これから役に立つ木ということで「ざいもく・ざいりょう」の意味をあらわす。

「才」も見よう。60ページ。

- 画数 7
- オン ザイ
- くん

(157)

刷

おしりのよごれを布でふき取る形と、刀の形。

布でふき取るように、刀でさっとこすることで「こする」の意味をあらわす。のちに「いんさつする」の意味に使われるようになった。

↓

↓
刷

画数 8
オン サツ
くん する

札

木の形と、人がひざまずいて祈る形。

木の板などに願いごとを書いて、お祈りしたことから、そのうすい板ということで「ふだ」の意味をあらわした。

名札。

画数 5
オン サツ
くん ふだ

察

家のやねの形と、肉の形と、手の形と、祭だんの形。

家の中で神をまつって、おつげをはっきりと聞こうとすることから「明らかにする・さっする」という意味をあらわした。

画数 14
オン サツ
くん

殺

しばる形と、木の形と、ほこを手に持った形。

木にしばりつけたり、ほこでつつくことで「ころす」の意味をあらわした。

スネ夫をぼくも殺して死ぬ。

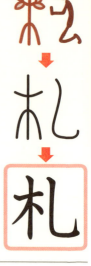

画数 10
オン サツ・(*サイ)(*セツ)
くん ころす

4年【サ〜サ】

4年【サ〜サ】

産

「文」（41ページ）とがけの形で地層の見えるがけのことと、「生」（34ページ）。

がけの地層にふくまれる鉱物からさまざまなものが生まれることで「ものをつくりだす・うまれる」意味をあらわす。

画数 11
オン サン
くん うむ　うまれる　（うぶ）

参

かんざしと、服のかざりもようの形。

3本のかんざしをつけて着かざって、おまいりに出かけることから「まいる・さんかする」の意味をあらわした。

画数 8
オン サン
くん まいる

残

ほねの形と、ほこをふたつかさねた形で「切る」こと。

肉を食べたあとにほねが残ることから「のこり」の意味をあらわし、武器で人をきずつけることから「むごいこと」の意味にもなった。

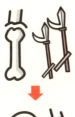

画数 10
オン ザン
くん のこる　のこす

散

植物の麻の形と、肉の形と、手にむちを持った形。

肉をたたいて、麻のせんいをバラバラにするように細かくすることから「ちらす・ちる」の意味をあらわした。

画数 12
オン サン
くん ちる　ちらす　ちらかす　ちらかる

4年【シ〜シ】

たおれかかったものを支えている形。

たおれそうになっているものをまわりから支えている形から、分家兄弟が支えあってできている「家系」の意味をあらわす。

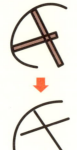

画数 4
オン シ
くん (うじ)

おのを立てておいた形。

王に仕えた兵士のことで「りっぱな男・軍人」の意味をあらわす。

江戸時代の身分階級は、士農工商。

画数 3
オン シ
くん

両手を前に出した人の形と、口の形。

手や口で仕事をする人のことで「つかさどる・とりしきる・仕事や役目を受け持つ」の意味をあらわした。

司会のドラえもんです。

画数 5
オン シ
くん

手に筆を持って、紙に字を書く形。

役人が正しく記録を書きとめることから「記録・歴史」という意味をあらわした。

「書」も見よう。65ページ

画数 5
オン シ
くん

(160)

4年 [シ〜シ]

児

頭のほねがまだ合わさっていない子どもの形。

生まれたての赤ちゃんはまだ頭のほねがくっついていない。その形から「おさない子ども」の意味になった。

画数 7
オン ジ・(*ニ)
くん

→ 児

試

「言」と、ふたまたの棒とものさしで「仕事のやり方」のこと。

人に仕事を言いつけて、やり方を見ることで「ためす・ためし」の意味をあらわす。

「言」も見よう。55ページ

→ 言式 → 試

画数 13
オン シ
くん こころみる（ためす）

辞

舌の形と、罪人にいれずみをする針の形で罪人のこと。

罪人によく言い聞かせることから「きめこまかな言葉」の意味をあらわした。

「舌」も見よう。220ページ

画数 13
オン ジ
くん （やめる）

→ 辞

治

水の形と、人が台の上で見張りをする形。

こう水を防ぐために見張りをし、水害をおさめることから「おさめる・しずめる」の意味をあらわす。

すぐきずを治すばんそうこう。

→ 治

画数 8
オン ジ・チ
くん おさめる おさまる なおる なおす

(161)

借

人と、日がつみかさなった形で「つみかさなる」こと。

人の力をかさねるということで「かりる」の意味になった。

画数 10
オン シャク
くん かりる

失

人が手足を動かしておどりまわっている形。

神に祈りをささげ、うっとりとした状態になり「われをわすれる」こと。また「自失」の意味から「うしなう」こと。

画数 5
オン シツ
くん うしなう

周

板にくぎをつき通す形と、口の形。

くぎでしっかり打ちつけるように、しっかりと口で言って教えることから「すみずみまでゆきわたる・まわり」という意味をあらわす。

画数 8
オン シュウ
くん まわり

種

イネのほがたれている形と、荷物をかさねた形。

かりとったイネを次の年にまく種としてかさねておいたことから「たね・ものごとの元」の意味になった。

画数 14
オン シュ
くん たね

4年【シ〜シ】

4年 [シ〜シ]

順

川の形と、あたまの形。

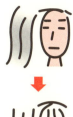

川が流れるように、まっすぐあたまを前に向けて進むことから「すなお・したがう」の意味をあらわす。

- 画数 12
- オン ジュン
- くん

祝

神をまつる祭だんの形と、口の形と、ひざまずく人の形。

祭だんの前で祈る言葉（祝詞）を言っていることで「いわう」の意味をあらわす。

たん生日、おめでとう。

- 画数 9
- オン シュク・(*シュウ)
- くん いわう

松

木の形と、ひとりでかかえこもうとしているのをわける形で「公」（57ページ）。

松は1年中、葉っぱがみどりなので、葉の青い木の代表（公）という意味で「まつ」をあらわした。

- 画数 8
- オン ショウ
- くん まつ

初

着物のえりの形で「ころも」のことと、刀の形。

布を切ることは、着物をつくるときの最初の仕事だということから「はじめ」の意味をあらわす。

初雪だ。

- 画数 7
- オン ショ
- くん はじめ
  はじめて
  はつ・(そめる)
  (うい)

4年【シ～シ】

口の形と、太陽と口で「明るくはっきり言う」こと。

口を開けて、みんなで大きな声で歌うことから「声に出してとなえる・歌う」という意味になった。

合唱コンクール

画数 11
オン ショウ
くん となえる

唱

竹の葉の形と、人がからだをくねらせて笑っている形。

竹の葉がゆれるのと、人が笑っているすがたがにていることから「わらう」の意味をあらわす。

画数 10
オン （ショウ）
くん わらう
（えむ）

笑

ゾウの形。

「ゾウ」の意味。ゾウの形をうつした文字なので「かたどる・姿」などの意味にも使われるようになった。

画数 12
オン ショウ・ゾウ
くん

象

火の形と、台の上に「土」が3つで、土器をつんだ形。

土でうつわをつくり、つんでかわかし、火でやいてやきものをつくることから「やく・もやす」という意味になった。

どら焼き。

画数 12
オン （ショウ）
くん やく
やける

焼

(164)

4年【シ〜シ】

まどからけむりが出ている形と、貝の形で「お金」のこと。

やねよりも高くのぼるけむりのように高いほうびを手がらを立てた人にやることから「ほめる・ほうび」の意味をあらわした。

【受賞】賞をもらうこと。
【授賞】賞を与えること。

画数 15
オン ショウ
くん

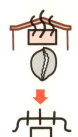
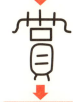

太陽の形と人を呼びよせる形で「明らかにする」ことと、火がもえている形。

火がもえて明るくなると、はっきりとものようすがわかることから「てらす」の意味をあらわした。

「てらしあわせる」という意味の熟語
参照・照合・対照

画数 13
オン ショウ
くん てる てらす てれる

人と、辛(しんの音から心の意味)と口の形。

人の言うことにはうそがあってはならないということから「まこと・しんじる」という意味をあらわす。

画数 9
オン シン
くん

見開いた目の形。

目を見開いて体をかたくしていることから「主君に仕えるもの・けらい」の意味をあらわした。

【家臣】けらいのこと。
【大臣】役人の中でも位が高い人。今は国務大臣のこと。

画数 7
オン シン・ジン
くん

(165)

4年【セ〜セ】

小さく細くすることと、目の形。

目を細めて見ることから「注意深く見ること・ふりかえって考える」という意味。

> 日本にある省の名前、いくつ知ってる？
> 総務省、法務省、外務省、財務省、文部科学省…まだまだあるよ。

画数 9
オン セイ・ショウ
くん はぶく
（かえりみる）

おのの形とうつわからあふれ出る形で「みたされている」こと。

おので何度も木をけずってしあげることで「できあがる・なしとげる」の意味をあらわす。

> 宿題終わった。

画数 6
オン セイ・(*ジョウ)
くん なる
なす

青い草と井戸の形と、つめを立てた手とぼうを引っぱる形で「争」（169ページ）。

争いがすんだあと、あたりが井戸の水のように静まることから「しずか」の意味をあらわす。

> 静香の静ね。

画数 14
オン セイ・(*ジョウ)
くん しず・しずか
しずまる
しずめる

水の形と、草と井戸の形で「青」（35ページ）。

青くすんだきれいな水のことで「きよい」の意味をあらわした。

画数 11
オン セイ・(*ショウ)
くん きよい
きよまる
きよめる

(166)

4年 [セ〜セ]

イネのほがたれている形と、とげのある枝の形と、貝の形で「責」(219ページ)。

農民を責め苦しめて、取り立てたねんぐ米をつんだところから「つむ」の意味をあらわした。

「責」も見よう。219ページ かけ算の答えのことを「積」というよ。

画数 16
オン セキ
くん つむ / つもる

がけに寄りかからせた小屋の形と、草であんだしきものと布の形。

しきものに布をかぶせたざぶとんを家の中におき、座る場所としたことから「せき・座るところ」の意味をあらわした。

画数 10
オン セキ
くん

竹の葉の形で竹のことと、食べものの前にすわる人の形。

仕事がひと区切りついて食事をすることと、節のある竹で「ふし・くぎりめ」の意味をあらわす。

ここが節

画数 13
オン セツ・(*セチ)
くん ふし

手の形と、おのの形。

おいしげった木をおので たち切ることから「おる・おれる」の意味をあらわす。

画数 7
オン セツ
くん おる / おり / おれる

(167)

浅

水の形と、ほこふたつの形。

ほこはものを切って小さくするという意味。小さいことをふたつ重ねて水が「あさい」ことをあらわした。

- 画数 9
- オン （セン）
- くん あさい

説

「言」と、口を開いてわかるように話している人の形。

心に思ったことをスラスラしゃべっていることから、「よくわかるように話す・話・考え」などの意味になった。

「言」も見よう。55ページ

- 画数 14
- オン セツ・(*ゼイ)
- くん とく

4年【セ〜セ】

選

道と足の形で「道を歩く」ことと、きちんと座っている人の形とおくりもの形。

えらい人におくりものをするために、よいものを選んだことから「えらぶ・よりわける」の意味になった。

好きな方をどうぞ。

- 画数 15
- オン セン
- くん えらぶ

戦

先がふたまたになったほこの形と、えの長いほこの形。

いろいろな武器を交えて戦うということで「いくさ・たたかう」の意味をあらわす。

- 画数 13
- オン セン
- くん たたかう（いくさ）

(168)

4年〔セ〜ソ〕

争

つめを立てた手と、ぼうを引っぱる手の形。

ぼうを取ろうと上の手と下の手が張り合っている形から「あらそう」の意味をあらわす。

- 画数 6
- オン ソウ
- くん あらそ**う**

然

肉の形と、犬の形と、火がもえている形。

火で犬の肉をあぶることから「もやす」の意味だったのが、音が同じ言葉の「その通り」の意味で使われるようになった。

- 画数 12
- オン ゼン・ネン
- くん

巣

木の上にある鳥の巣にひながいる形。

木の上につくられた鳥の巣の形から、さまざまな「いきもののすみか」の意味をあらわした。

- 画数 11
- オン (ソウ)
- くん す

倉

こく物をしまっておく、たてものの形。

米や麦をたくわえておくたてものの形で「くら」の意味をあらわす。

- 画数 10
- オン ソウ
- くん くら

(169)

人と、貝と刀の形。

貝と刀は、お金や財産をふたつにわけること。人とわけるしるしから、ものをわけて人のそばにおくことで「もののそば・横」の意味になった。

「貝」には、お金の意味があるよ。26ページ

- 画数 11
- オン ソク
- くん かわ

木をひもでしばった形。

たきぎを集めてひもでしばった形で「たばねる・たば」の意味をあらわした。

きれいな花束。

- 画数 7
- オン ソク
- くん たば

4年【ソ〜ソ】

衣と、肩からたすきをかけた形。

上官の世話をする下級の兵の服の形で「位の低い兵」をあらわす。また、上官によばれるとすぐに行かなければならないので「急に」、言われたことはやりとげなければならないので「終わる」の意味もあらわす。

形の似ている字「率」

- 画数 8
- オン ソツ
- くん

糸をたばねた形と、「出」を略した形と「買」を組み合わせて「売」(78ページ)。

商売を長く続けるように糸をずっとつなぐことで「つづく」の意味をあらわす。

小学漢字はまだまだ続くよ。

- 画数 13
- オン ゾク
- くん つづく つづける

(170)

4年 [ソ〜タ]

帯

ひもにものを通した形と、こしにしばったひもの形。

こしにまいた帯にいろいろなものを下げて持ち歩いたところから「おび・身につける・おびる」などの意味をあらわした。

画数 10
オン タイ
くん おびる / おび

孫

子どもの形と、糸たばから糸をより合わせている形。

糸のたばのように、子もがずっと続いていくことから「まご」の意味をあらわす。

（おばあちゃんにとって、ぼくは孫。）

画数 10
オン ソン
くん まご

達

道と足の形で「道を歩く」ことと、草の芽が地面から出た形と、ヒツジの形。

ヒツジのお産のようにらくらくとできてしまうことから、「いきつく・すぐれている」の意味をあらわした。

画数 12
オン タツ
くん

隊

がけの断層の形で「つみ上げた土」のことと、わけるしるしとブタの形で「かたまりをわける」こと。

土のかたまりをわけることから、大ぜいの人を小さな集まりにわけた「集団」のことをあらわす。

（ひみつ道具の「おもちゃの兵隊」）

画数 12
オン タイ
くん

(171)

4年【タ〜チ】

魚や鳥をとるあみの形で「とらえる」ことと、10の目でまっすぐ見ることと、あちこちにげ回るしるしで「直」。

本来、正しい人は法にふれてつかまってもそれはたまたまのことで、大きな罪ではないので、そのままにしておくという意味で「おいておく・そのままにする」の意味をあらわした。

画数 13
オン チ
くん おく

先がふたまたになったほこの形。

この武器ひとつで、こうげきすることもぼうぎょすることもできるので「ただひとつ」の意味をあらわした。

画数 9
オン タン
くん

貝の形で「お金」のことと、家のやねの形と、うつわに入れたものがあふれている形。

お金が家の中にたくさん集まった形で「ためる・たくわえる」の意味をあらわす。

画数 12
オン チョ
くん

人と、コマの真ん中にしんぼうが通っている形。

人と中を合わせて、「人と人の間をとりもつ」こと。

〈真ん中〉の意味にも使われることもある。
【仲春】2月のこと。
【仲子】真ん中の子のこと。

画数 6
オン (チュウ)
くん なか

4年 [チ〜テ]

腸

肉の形と、太陽の下ではためく、ふきながしの形。

ふきながしのように長くてうごめくからだの中の器官ということで「ちょう・はらわた」をあらわす。

> 一般的に、ウインナソーセージは、ヒツジの腸。フランクフルトソーセージは、ブタの腸が使われています。

画数 13
オン チョウ
くん

腸

兆

カメの甲らのひびと、わけるしるしで細かいこと。

かめの甲らをやいてそのひびを細かく見てうらなったことから「ものごとが起こる前ぶれ」の意味をあらわす。

ふきつな予感。

画数 6
オン チョウ
くん （きざす）
　　（きざし）

兆

底

一方をがけに寄りかからせた家の形と、たおれかかったものを支えている形。

たてものをたてるときに地面を平らにかため、柱を支える土台にしたことから「もののいちばん下・そこ」の意味をあらわした。

画数 8
オン テイ
くん そこ

底

低

人と、たおれかかったものを支えている形。

元はえらい人を支える人（身分の低い人）をあらわしたが、今は「高い」に対して、「高さやていどがひくい・下である」ことをあらわす。

[反対語]
低い ↔ 高い

画数 7
オン テイ
くん ひくい
　　ひくめる
　　ひくまる

低

4年【テ〜テ】

太陽が光っている形で「明らかにする」ことと、さじでものをすくい出す形。

一部分を取り出して、明らかにすること・目立たせることで「まと・目当て」の意味をあらわす。

- 画数 8
- オン テキ
- くん まと

人と、やどやの高いたてものの形。

人がとどまるやどやから「とどまる」という意味をあらわす。

- 画数 11
- オン テイ
- くん

人と、駅のたてものの形。

人が、次から次へと手紙などを運んだ。そこから「つたえる」の意味をあらわす。

- 画数 6
- オン デン
- くん つたわる / つたえる / つたう

字が書いてある竹の札をひもでつないだものの形と、それをのせる台の形。

紙がつくられる前には、文書は木や竹の札に書かれていた。その形から「書物・お手本・規則」の意味をあらわす。

- 画数 8
- オン テン
- くん

(174)

4年【ト〜ト】

女の形と、手の形と、うでの力こぶの形。

女の人ががまん強く、手に力をこめてはたらいていることから「つとめる・がんばる」の意味をあらわす。

↓

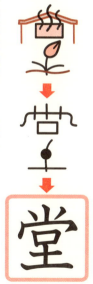

努

画数 7
オン ド
くん つとめる

十字路の半分の形と足の形で「歩く」ことと、草の芽が地面から出た形で「土」。

土をふんで歩くことから「のりものにのらず歩くこと」をあらわす。

徒

画数 10
オン ト
くん

家のまどからけむりが出ている形で高いたてもののことと、木や草が芽を出している地面の形で「土」。

土台の上に立てた高いたてもののことから「大きなたてもの・ごてん」をあらわした。

堂

画数 11
オン ドウ
くん

火の形と、いっぱいになってあふれている形。

火がもえて、光があふれるようにまわりを明るくしていることから「ともしび・あかり」の意味をあらわす。

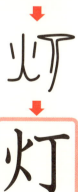

灯

画数 6
オン トウ
くん （ひ）

(175)

4年【ト〜ト】

ウシの顔の形と、足の形と、手の形と、一のしるしで、「手足をはたらかせる」こと。

動きのおそいウシの中で、とりわけ動作が速くて目立つオスウシのことで「とくに・とくべつな」の意味をあらわした。

特級品のメロンだぞ。

画数 10
オン トク
くん

人と、重いものと力を合わせた形で「動く」こと。

人が重いものを動かすということで「はたらくこと」をあらわす。

漢字の計算
この字はなに？
イ＋重＋力＝？

画数 13
オン ドウ
くん はたらく

草の芽が出た形と、「母」(81ページ)。

母親が子どもを産むように草がどんどん生まれ、それがしげりすぎると作物に害を与えることから「どく」の意味をあらわす。

[ことわざ]
毒を食らわば、
皿まで。

画数 8
オン ドク
くん

十字路の半分の形で「行く」ことと、貝の形と、手の形と一のしるし。

歩いていて、お金などをひろうことから「手に入れる・える」などの意味をあらわした。

10円ひろった。

画数 11
オン トク
くん える(うる)

(176)

4年【ネ〜ハ】

「今」と、心臓の形で「こころ」のこと。

今も心にあることで、ずっと思い続けているということから「心に深く思う」の意味をあらわす。

「今」も見よう。
60ページ

画数 8
オン ネン
くん

人が農具を使って土をたがやしている形と、火がもえている形。

土をよくたがやして植えた作物がいきおいよく育つのと同じように、火がいきおいよくもえることから「あつい・ねつ」の意味をあらわした。

熱いと暑いの違いは？

画数 15
オン ネツ
くん あつい

木の形と、草の芽を出した形と、「母」の形。

つぼみがつくと次々と花がさいて実がなる木のことから「うめ」をあらわした。

梅ぼしすっぱい。

画数 10
オン バイ
くん うめ

貝の形と、手にむちを持った形。

財産である貝をむちでたたかれこわされることで「形がくずれる・まける・やぶれる」の意味をあらわした。

【反対語】
敗者⇔勝者

画数 11
オン ハイ
くん やぶれる

(177)

4年 【ハ～ヒ】

「食」と、手で板を押している形。

押した手をはなすと元にもどるように、くりかえし毎日食べるもののことから「めし・ごはん」をあらわした。

「食」も見よう。 66ページ

画数 12
オン ハン
くん めし

飯

ものを束ねる形と、なわしろの形と、「寸」で手を動かすこと。

田植えのときに、なわしろのなえをたばねて持ち、それを広げるように植えたことから「広める」の意味になった。

出木杉君のように何でも知ってる人を博識というよ。

画数 12
オン ハク・(*バク)
くん

博

湯気と川の流れの形で「蒸発」することと、貝の形で「お金」のこと。

お金を使ってなくしてしまうことから「ついやす・必要なお金」の意味をあらわす。

むだづかいするから。

画数 12
オン ヒ
くん (ついやす)
　　 (ついえる)

費

鳥が羽を広げて飛んでいる形。

鳥が飛ぶようすで「空をとぶ」という意味をあらわした。

画数 9
オン ヒ
くん とぶ
　　 とばす

飛

(178)

4年【ヒ〜フ】

お札の入った箱の形と、神をまつる祭だんの形。

箱にまよけのお札が入っている形から「札・ものを書きつける紙」の意味をあらわした。

画数 11
オン ヒョウ
くん

境のぼうくいと、わけるしるし。

国と国の境にくいを立てておけば、はっきりとわかれ目が判断できることから「まちがいなく・かならず」の意味をあらわす。

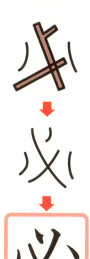

画数 5
オン ヒツ
くん かならず

鳥が天に向かって飛び立ち降りてこない形。

鳥が降りてこないことから「〜しない・〜でない」の意味をあらわした。

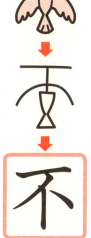

画数 4
オン フ・ブ
くん

木の形と、お札の入った箱の形と、神をまつるときに使う台の形。

神からいただくお札を高いところにはりつけることから「目印・目当て」の意味をあらわした。

「票」も見よう。（ヘ左上）

画数 15
オン ヒョウ
くん

(179)

人と、手の形と一の
しるし。

手をのばして、ものを人
に手わたす形から、「て
わたす・与える・つけた
す」の意味をあらわす。

画数 5
オン フ
くん つける
つく

かんざしをつけた人
の形。

おとなになったしるしと
して、かんざしをつけた
男で「一人前の男・おっ
と」をあらわした。

画数 4
オン フ・(*フウ)
くん おっと

4年【フ～フ】

こく物がたくさん入
った倉の形と、刀の
形。

倉に入れた財産をふたつ
にわけてとっておくこと
から「ひかえのもの・そえ
る」の意味をあらわす。

画数 11
オン フク
くん

一方をがけに寄り
かからせた家の形
と、人と右手の形で
「付」。

ぴったりとくっつけるよ
うに文書をしまってお
く倉庫ということで「役
所」の意味をあらわした。

「付」も
見よう。
（左上）

画数 8
オン フ
くん

(180)

4年【フ～フ】

兵

おのを両手で持った形。

武器を両手で持っていくさをする人のことから「へいたい・武器・いくさ」の意味をあらわす。

「父」(79ページ)「皇」(253ページ)も見てみよう。

- 画数 7
- オン ヘイ・(ヒョウ)
- くん

粉

イネのほの形で米のことと、ぼうを刀で切る形の「分」。

米などのこく物を細かくくだきわけることから「こな・細かくくだいたもの」の意味をあらわす。

- 画数 10
- オン フン
- くん こな

辺

道と足の形で「道を歩く」ことと、道の行きついた形。

行きつくところまで歩いていった果てのことから「へり・果て」の意味をあらわした。

- 画数 5
- オン ヘン
- くん あたり・べ

別

ほねの形と、刀の形。

けもののほねと肉をばらばらに切りはなすことから「わける・わかれる・べつ」という意味をあらわす。

- 画数 7
- オン ベツ
- くん わかれる

(181)

人と、かまどの火を火かきぼうでかきまわす形。

消えそうになった火をおこすように、人をはげまし仕事をさせることから「都合がいい・やりやすい」の意味になった。

ひみつ道具は便利だね。

- 画数 9
- オン ベン・ビン
- くん たより

↓

↓
便

ものをつまむ手の形と、糸たばの形と、反対向きの足の形。

からまった糸がとけずにバタバタすることで「ふつうではない・かわっている・かわる」の意味をあらわした。

「動物変身ビスケット」食べたな！

- 画数 9
- オン ヘン
- くん かわる かえる

↓

↓
変

4年【ヘ〜ホ】

水の形と、うつわとふたの形で「とりさる」こと。

罪人を海に追放したことから、「決まり・ほうりつ」の意味をあらわした。

決まりはちゃんと守ろうね。

- 画数 8
- オン ホウ・(*ハッ)(*ホッ)
- くん

↓

↓
法

手でおなかの子どもをいたわる形。

手でおなかかを大事にかかえている形から「つつむ」という意味をあらわす。

- 画数 5
- オン ホウ
- くん つつむ

↓

↓
包

(182)

4年【ホ〜マ】

牧

ウシの顔の形と、むちを持った手の形。

ウシをむちうって育てめんどうを見ることから「かちくを育てる・はなしがいにする」の意味をあらわす。

画数 8
オン ボク
くん （まき）

望

目玉の形と、月の形と、人の形。

人が大きな目を開けて月をながめている形から「のぞむ・遠くをみる」の意味をあらわす。

画数 11
オン ボウ・（モウ）
くん のぞむ

満

水の形と、酒を入れた入れものの形。

入れものに酒がいっぱいに入っていることから「いっぱいになる・みちる」をあらわした。

画数 12
オン マン
くん みちる みたす

末

木の先にしるしをつけた形。

木の先にしるしをつけて「先・はし・すえ」の意味をあらわした。

上のよこぼうが長いのが「末」。

画数 5
オン マツ・（バツ）
くん すえ

(183)

4年【ミ〜ム】

肉の形と、水の流れが細くわかれている形。

からだの中を細い血管で枝わかれしながら流れている血から「血管・みゃく」の意味をあらわす。

手首で脈を感じるわ。

↓

画数 10
オン ミャク
くん

木の上に熟していないくだものがなっている形。

くだものがまだ食べられるほどには育っていないということから「まだ〜でない」という意味をあらわす。

「末」も見よう。183ページ

画数 5
オン ミ
くん

家が火でもえている形。

火事で家がもえてなくなってしまい、何もなくなることから「ない」の意味をあらわした。

画数 12
オン ム・ブ
くん ない

針で目をついて見えなくする形。

視力をうばわれた人で、「みんしゅう・一般の人」の意味をあらわした。

画数 5
オン ミン
くん (たみ)

4年【ヤ〜ヨ】

人が板にくぎをつき通す形と、うでの力こぶの形。

板にくぎをつき通すような強い力や、やりぬく力がわき出ることで「いさましい」の意味になった。

画数 9
オン ユウ
くん いさむ

糸をたばねた形と、ひしゃくでものをすくいあげる形で「小さくわずかな」こと。

ふくろにものを入れ、ひもでぎゅっとしばり小さくすることで「まとめる・しめくくる」などの意味をあらわす。

画数 9
オン ヤク
くん

ヒツジの顔の形と、人が集まってものをにて食べていることで「食」（66ページ）。

ヒツジの肉を食べさせることから「育てる・やしなう」ことをあらわした。

画数 15
オン ヨウ
くん やしなう

両手でこしを押さえている形。

こしはからだの中心で大事な場所ということから「ものごとの大事なところ」という意味をあらわす。

画数 9
オン ヨウ
くん （いる）かなめ

利

イネのほの形と、刀の形。

イネのほさきの「のぎ」のように刀の刃がするどいことから「するどい・役に立つ」という意味をあらわす。

- 画数 7
- オン リ
- くん （きく）

浴

水の形と、山と山の間の水が流れるところの形。

谷間を流れる水でからだを洗ったことから「水をあびる」の意味をあらわした。

- 画数 10
- オン ヨク
- くん あびる / あびせる

良

ますの形と、入れたり出したりするというしるし。

もとは、こく物をますではかることだったのが、はかった分量は正確だということから「よい」の意味になった。

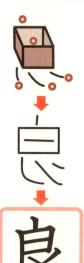

- 画数 7
- オン リョウ
- くん よい

陸

がけの断層の形で「つみ上げた土」のことと、土と広がるしるしとさらに土で「土が高くつもって広がっている」こと。

もり上がった地面が続く広い土地のことで「りく・続くようす」の意味をあらわした。

- 画数 11
- オン リク
- くん

4年【ヨ～リ】

(186)

4年【リ〜ル】

こく物を入れたうつわの形と、ものがかさなっていて重いことをあらわす形。

こく物が重いということから「はかる」意味をあらわし、重いものはかさが大きいことから「かさ」の意味もあらわす。

↓
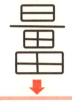
↓

画数 12
オン リョウ
くん はかる

イネのほの形と、えのついたますの形。

こく物の分量をはかるますのことから「はかる・もとになるもの」の意味をあらわす。

↓

画数 10
オン リョウ
くん

イネのほと人の形と、人の顔。

米は米、人は人とそれぞれの種類ということから「仲間・似たもの」の意味をあらわした。

↓

画数 18
オン ルイ
くん たぐい

車の形と、集めるしるしと、短冊をつないだ形。

きちんとならんだ短冊のように軸のぼうがきちんと通っている車のことから「くるまのわ」の意味をあらわす。

似ている字「論」287ページ

↓

↓

画数 15
オン リン
くん わ

(187)

4年【レ〜レ】

令

人があちこちから集まってくる形と、人がひざまずいている形。

人を集めてひざまずかせ、さしずしてしたがわせることから「言いつける」をあらわす。

画数 5
オン レイ
くん

冷

氷のでき始めのすじの形と、集まった人に言いつける形で「令」(185ページ)。

君主に命令されて身ぶるいするように、冷たい水ということから「つめたい」の意味をあらわした。

画数 7
オン レイ
くん つめたい
　　 ひえる
　　 ひや・ひやす
　　 さめる

例

人と、刀でほねをばらばらにして並べている形。

人が並ぶときは、同じ仲間でならぶので「決まったやりかた・しきたり・たとえ」の意味になった。

画数 8
オン レイ
くん たとえる

歴

やねの下に決まった間かくでイネを干す形と、足の形。

順序よく干されたイネのように人が次々と歩いていくことから「決まりよく次々と通る」などの意味になった。

画数 14
オン レキ
くん

(188)

4年 [レ〜ロ]

老

つえをついた年よりの形。

年よりの形から「おいる・年をとる」などの意味をあらわす。

似ている字「孝」「考」

画数 6
オン ロウ
くん おいる（ふける）

連

道と足の形で「道を歩く」ことと、車の形。

車がゆっくりと続いて通ることから「つらなる」という意味をあらわした。

似ている字「運」

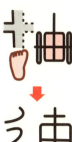

画数 10
オン レン
くん つらなる つらねる つれる

録

山に黄金がまじっている形で「金属」のことと、彫刻刀で、けずっている形。

金属の表面をけずって、文字やもようをきざみつけることで「きろくする」という意味をあらわした。

「緑」も見よう。136ページ

画数 16
オン ロク
くん

労

かがり火がもえている形と、うでの力こぶの形。

夜になってもかがり火で力仕事に精を出すことで、「ほねをおってはたらく」の意味をあらわす。

似ている字「栄」「営」

画数 7
オン ロウ
くん

(189)

●5年生の漢字もくじ●
（185字・アイウエオ順。同じ読みの場合は画数の少ない順）

圧移因永…192	営衛易益…193	液演応往…194	桜恩可仮…195
価河過賀…196	快解格確…197	額刊幹慣…198	眼基寄規…199
技義逆久…200	旧居許境…201	均禁句群…202	経潔件券…203
険検限現…204	減故個護…205	効厚耕鉱…206	構興講混…207
査再災妻…208	採際在財…209	罪雑酸賛…210	支志枝師…211
資飼示似…212	識質舎謝…213	授修述術…214	準序招承…215
証条状常…216	情織職制…217	性政勢精…218	製税責績…219
接設舌絶…220	銭祖素総…221	造像増則…222	測属率損…223
退貸態団…224	断築張提…225	程適敵統…226	銅導徳独…227
任燃能破…228	犯判版比…229	肥非備俵…230	評貧布婦…231
富武復複…232	仏編弁保…233	墓報豊防…234	貿暴務夢…235
迷綿輸余…236	預容略留…237	領…238	

5年 [ア〜エ]

イネのほがたれている形と、月の形がふたつで、次々かさなること。

そだったイネのほが風でたなびき、それがかさなって動いていくように見えることから「動く・うつる」の意味をあらわす。

画数 11
オン イ
くん うつる　うつす

一方をがけに寄りかからせた家の形と、木や草が芽を出している地面の形で「土」。

がけがくずれて家がつぶれ土でおおわれることから「おさえつける・押す」の意味をあらわす。

画数 5
オン アツ
くん

川の流れが集まり、長くのびていく形。

川の水が集まりながら海へ流れこんでいくことで「ながい・いつまでも」の意味をあらわした。

画数 5
オン エイ
くん ながい

ふとんの形と、人がねている形。

ふとんに身を任せてねていることから「たよる・よる・もととなる」などの意味をあらわす。

画数 6
オン イン
くん （よる）

(192)

5年 [エ〜エ]

十字路の形で「行く」ことと、城のまわりをぐるぐるまわる形で「見張る」こと。

城のまわりをぐるぐるまわって見張りをする兵隊のことから「まもる人」の意味をあらわす。

似ている字
街・術

画数 16
オン エイ
くん

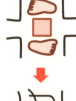
↓

↓
衛

家のまわりに、かがり火がたかれている形。

まわりをかがり火で照らしたり、塀でとりかこんだ住まいをつくることで「軍の住まい・生活や仕事をいとなむ」という意味をあらわした。

画数 12
オン エイ
くん いとなむ

↓

↓
営

水の形と、皿の形。

皿の中に水があふれるほど入っていることで「増える・役に立つ」という意味をあらわす。

勉強はちゃんと役に立つからがんばれ。

画数 10
オン エキ・(*ヤク)
くん

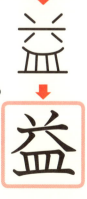
益

ヤモリの形。

ヤモリは環境に合わせて色をかんたんに変えるので「たやすい・取り換えやすい」という意味をあらわした。

【安易】たやすいこと。いいかげんなこと。

画数 8
オン エキ・イ
くん やさしい

↓

↓
易

演

水の形と、やねと、矢と両手の形。

矢に両手をかけて引きのばすように、水の流れがのび広がっていくこと。そこから「広める・してみせる」という意味になった。

あやとりのホウキはこうやって作るんだ。

画数 14
オン エン
くん

液

水の形と、おとなと子どもが月の下でねている形で「夜」。

夜の水で「酒」のことだったが今は一般に「えきたい・しる」をあらわす。

氷は、固体。蒸気は、気体。では水は？（答えは下。）

画数 11
オン エキ
くん

往

十字路の半分の形で「行く」ことと、土の上に草が生えている形。

草がどんどんのびるように、いきおいよく進むことから「行く・すぎさる」の意味をあらわす。

行って、帰ってくるのは往復。

いってきます／ただいま

画数 8
オン オウ
くん

応

がけに寄りかからせた小屋の形と、心臓の形で「こころ」のこと。

人里はなれた小屋に住んで、人のよぶ声に喜び、心からこたえることから「こたえる・相手をする」の意味をあらわす。

画数 7
オン オウ
くん こたえる

5年【エ〜オ】

【答え】：液体

(194)

5年【オ〜カ】

恩

ふとんに人がねている形と、心臓の形で「こころ」のこと。

ふとんにねている形は「身を任せる・たよる」という意味。たよる心とは「なさけ・めぐみ」の意味をあらわす。

「因」も見てみよう。192ページ

画数 10
オン オン
くん

桜

木の形と、花びらの首かざりの形と、「女」の形。

首かざりをつけた女の人のように、たくさんの花がさく木ということで「さくら」をあらわした。

木の名前、読めるかな？
松　梅

画数 10
オン (オウ)
くん さくら

仮

人と、手で押した板の形。

手で押した板は、手をはなせば元にもどる。借りたものはまた元にもどさないとならない。いっとき自分のものにするだけということから「かり・間に合わせ」という意味になった。

画数 6
オン カ・(*ケ)
くん かり

可

上につかえて伸びることができない形と、口の形。

つかえていた声が出ることで、「できる・よい」の意味をあらわす。

【可能】できること。
【不可能】できないこと。

画数 5
オン カ
くん

(195)　　【答え】：まつ・うめ

河

水の形と、曲った形と、口の形。

曲りくねった川で、岸から大声でよんでも、対岸にとどかないということから「大きな川」の意味をあらわす。

特別な読み方
河童（かっぱ）

画数 8
オン カ
くん かわ

価

人と、入れものの中に商品が入っている形。

商人が、値打ちのあるものを箱に入れておくことから「値打ち・値段」の意味をあらわした。

画数 8
オン カ
くん （あたい）

賀

力こぶの形と、口の形と、貝の形で「お金」のこと。

力や口を使って大いに仕事をした人にお金などを与えほめることから「いわう」の意味をあらわした。

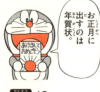

お正月に出すのは年賀状。

画数 12
オン ガ
くん

過

道と足の形で「道を歩く」ことと、うずまきの形。

うずまきのようにできては消えて、通りすぎていくことから「すぎる・通りすぎる」の意味になった。

ジャイアンが通り過ぎるまで待とう。

画数 12
オン カ
くん すぎる
すごす
（あやまつ）
（あやまち）

5年【カ〜カ】

(196)

5年【カ〜カ】

けもののつのの形と、刀の形と、ウシの顔の形。

刀でウシのつのを切りはなすことから「バラバラにする・とく」の意味をあらわした。

分解したら戻せなくなった〜。

- 画数 13
- オン カイ・(ゲ)
- くん とく
  とかす
  とける

心臓の形で「こころ」のことと、刃物を手に持つ形。

刃物でものを切り開くように、心が開かれ、はればれすることから「気持ちがよい」という意味をあらわす。

快晴で気持ちいいわ。

- 画数 7
- オン カイ
- くん こころよい

石の形と、鳥がかごに入っている形で「しっかりとして動かない」こと。

しっかりと動かない、かたい石のことから「かたい・まちがいない」の意味をあらわした。

- 画数 15
- オン カク
- くん たしか
  たしかめる

木の形と、さかさの足の形と口の形で「各(べつべつ)」。

1本1本の木が根をはることから、もとがしっかりするので「ふうかく・決まり・ほね組み・組み合う」などの意味をあらわすようになった。

- 画数 10
- オン カク・(*コウ)
- くん

(197)

刊

先がふたまたになったほこの形で人前にさし出すことと、刀の形。

木を平らにけずって文字などをほって書いたものを人前に出して伝えるということから「本をつくって出す」という意味をあらわした。

[週刊]毎週発行されること。
[月刊]毎月発行されること。
[季刊]年4回発行されること。

- 画数 5
- オン カン
- くん

額

客とあたまの形。

頭部の大事なところという意味から「ひたい」をあらわした。また額は、門の上にかかげる看板「がく」の意味にもなった。

「客」も見よう。95ページ

- 画数 18
- オン ガク
- くん ひたい

5年【カ〜カ】

慣

心臓の形で「こころ」のことと、貝に穴を開けてつき通した形。

心を変えず、同じ行いをずっとつらぬき通すことで「なれる・ならわし」の意味をあらわす。

のび太くんはひるねが習慣になってるね。

- 画数 14
- オン カン
- くん なれる ならす

幹

草の間から日がのぼる形と、旗と木をあわせた形。

日がのぼって空に旗がたなびくような、力強いしっかりとした木ということから「木のみき」の意味をあらわした。

幹。

- 画数 13
- オン カン
- くん みき

(198)

5年【カ〜キ】

基

台の上にものがのっている形と、木や草が芽を出している地面の形で「土」。

土かべなどをきずくときの土をのせる台のことで「土台・きそ」の意味をあらわした。

画数 11
オン キ
くん （もと）（もとい）

眼

目と、目の下に人が並んでいる形。

目がふたつ並んでいることで、「め・めだま」の意味をあらわした。

眼がね。

画数 11
オン ガン・(*ゲン)
くん （まなこ）

規

かんざしをつけた男で「夫」のことと、「見」（28ページ）。

一人前の男（夫）のすることを見習い手本にすることから「手本・決まり」の意味をあらわす。

画数 11
オン キ
くん

寄

家のやねの形と、からだがかたよっている形。

よその家に、いっときだけ身を寄せるということで「たちよる・たよる」の意味をあらわす。

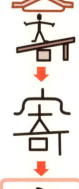

またうら山に寄り道してる。

画数 11
オン キ
くん よる よせる

(199)

ヒツジの顔の形と、手とほこの形。

ヒツジのように美しく、しかもほこを持ったりっぱな人ということから「人としてしなければならない正しい道」の意味をあらわした。

「羊」も見よう。134ページ

画数 13
オン ギ
くん

手の形と、竹を手に持った形。

竹を自由に曲げて細工することから、手の技のたくみなことをあらわし「わざ・うでまえ」の意味になった。

【裏技】あまり人に知られていない方法。

画数 7
オン ギ
くん （わざ）

5年【キ〜キ】

人のからだを後ろから支えている形。

支えがいるほど長い間、人が立ち止まっていることから「時間が長くたつ」の意味をあらわす。

もう勉強いや。

机に向かって5分。持久力ないなあ。

画数 3
オン キュウ・(*ク)
くん ひさしい

道と足の形で「道を歩く」ことと、ぼうにつかまってさかさまになった人の形。

さかさまの人と歩く形で、行くべき人がもどったことをあらわし「さからう・さかさま」の意味になった。

逆あがりなんてできないよ。

画数 9
オン ギャク
くん さか さからう

(200)

5年 [キ〜キ]

人がかたいいすに座っている形。

人がいすに座って、こしをおちつけていることから「いる・おちついてそこにいて、動かない」という意味をあらわす。

画数 8
オン キョ
くん いる

境目をあらわすしるしと、太陽の形で「今日」のこと。

今日より前をあらわすのに、日の左側にしるしをつけて「古い・昔」の意味をあらわした。

画数 5
オン キュウ
くん

木や草が芽を出している地面の形で「土」と、「音」と人の足の形。

音と人の足との組み合わせは、音楽のひと区切りということ、土と組み合わせて「さかい」の意味をあらわした。

画数 14
オン キョウ・(*ケイ)
くん さかい

「言」と、きねの形。

きねは上下させて使うから上と下が「交わる」こと。言葉が交わるのは、相手の言うことを聞き入れることで「ゆるす・みとめる」の意味になった。

「午」も見よう。56ページ

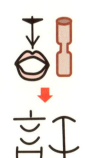

画数 11
オン キョ
くん ゆるす

(201)

木を並べた形と、神をまつる祭だんの形。

神をまつった場所のまわりに木を植えて、むやみに人が出入りできない場所としたことから「きんじる・やめさせる」の意味をあらわす。

画数 13
オン キン
くん

木や草が芽を出している地面の形で「土」と、ふたつのものをかかえている形で「等しくする」こと。

土を平らにして高さを等しくするということから「同じ・等しい・ととのっている」の意味をあらわす。

画数 7
オン キン
くん

手にぼうを持つ形と口の形で「さしずする人」と、ヒツジの顔の形。

ヒツジ飼いが、ぼうとかけ声であやつってひとまとまりにしたヒツジのことから「むれ」の意味をあらわす。

画数 13
オン グン
くん むれる
　　むれ
　*むら

人が口をつつみこんでいる形。

言葉を腹におさめて、むだなことを言わないように区切ることで、「ことばや詩文のひと区切り」の意味をあらわした。

【句読点（くとうてん）】文章の「、」や「。」のこと。

画数 5
オン ク
くん

5年【キ〜ク】

5年【ケ〜ケ】

糸をたばねた形と、はたおり機に糸が張ってある形で「細いすじ」のこと。

↓

はたおりのたて糸を何本も張ることから「たて糸」の意味をあらわし、糸のすじから「すじ道」の意味にもなった。

↓

地球儀のたて線は、経線というよ。

【画数】11
【オン】ケイ・(キョウ)
【くん】へる

経

水の形と、歯形のような切れ目を入れた棒の形と、刀の形と、糸の形。

神さまをまつるのにいろいろな道具を水できよめたことから「けがれのない・いさぎよい」という意味をあらわす。

「いさぎよい」思い切りがよく、さっぱりしていること。

【画数】15
【オン】ケツ
【くん】(いさぎよい)

潔

人と、ウシの頭の形。

↓

どれいやウシのようにつながれて自由の身ではない「もの」のようなもの、「ことがら」の意味。

どらやきがない。事件だ。

【画数】6
【オン】ケン
【くん】

件

ふたりでものを持つ形と、刀の形。

↓

木の板にやくそくごとなどを刃物でほりつけて、ふたつにわって、それぞれが持ったことから「けん・やくそくをしたしるしとしてのふだ」の意味をあらわす。

【乗車券】乗り物にのるためのきっぷのこと。

【画数】8
【オン】ケン
【くん】

券

(203)

木の形と、集めるしるしと、口と人の形。

人の意見が書かれた木の札を集め、調べることから「調べる・とりしまる」の意味をあらわす。

画数 12
オン ケン
くん

検

がけの断層の形で「つみ上げた土」のことと、集まるしるしと、口と人の形。

がけを見上げると多くの人が「けわしい」ということから「けわしい」の意味をあらわす。

画数 11
オン ケン
くん けわしい

険

5年【ケ〜ケ】

宝石をひもでつないだ形と、人の上に目がついた形で「見」。

玉のくもりがなく、はっきり見えることから「姿があらわれる・今じっさいにある」の意味をあらわす。

画数 11
オン ゲン
くん あらわれる
　　あらわす

現

がけの断層の形で「つみ上げた土」のことと、太陽が歩いている形で「しりぞく」意味。

がけにぶつかり、これ以上進めないとしりぞくことから「かぎり・さかい」の意味をあらわす。

画数 9
オン ゲン
くん かぎる

限

(204)

5年【ケ〜コ】

「古」と、手にムチを持った形。

古くなったものをたたきこわすことから「わざと・古い・もとの」などの意味になった。

画数 9
オン コ
くん （ゆえ）

故

水の形と、まさかりの形と口の形で「力で押さえつける」こと。

水の流れを押さえるということから水を「へらす・へる」の意味をあらわした。

おこづかい減らされた。

画数 12
オン ゲン
くん へる へらす

減

「言」と、鳥を手でつつむように持っている形。

やさしく言葉で守ってやることで「大切に守る」の意味をあらわす。

「言」も見よう。
55ページ

画数 20
オン ゴ
くん

護

人と「古」のまわりをかこった形で「動かない」こと。

その人だけが持つ動かないもの（個性など）のことで「ひとつ」の意味をあらわす。

なんて個性的な歌なんだ。

画数 10
オン コ
くん

個

(205)

がけの断層が見える形と、「高」をさかさまにした形。

土がえぐれてがけができ、地層の厚みがよくわかることから「ぶあつい」の意味をあらわす。

あついの使いわけ
【厚い】ぶあついこと
【暑い】気温があつい
【熱い】温度があつい

画数 9
オン （コウ）
くん あつい

足を組んだ形で「交わる」ことと、うでの力こぶの形。

ふたつのものが交わり力をつくすと、よい仕事ができるということから「ききめ」の意味をあらわす。

画数 8
オン コウ
くん きく

5年【コ〜コ】

山に黄金がまじっている形で「金属」のことと、がけによりかからせた家と、うでの形で「広」。

石をほりだした後の坑内が、がらんと広いようすからそこからほり出した「こうせき」の意味をあらわす。

「広」も見よう。57ページ

画数 13
オン コウ
くん

農具のすきに草が引っかかっている形と、田畑を9マスにわけたしるしで「田畑」のこと。

すきで田畑をほり起こすことから「たがやす」の意味をあらわす。

画数 10
オン コウ
くん たがやす

(206)

5年 [コ〜コ]

両手を使って、厚い板に穴を開ける形で「協同する」ことと、両手で持ち上げる形。

たくさんの人の手でものを持ち上げることから「おこす・あげる・さかんにする」の意味をあらわす。

↓

↓
興

- 画数 16
- オン コウ・キョウ
- くん (おこる)(おこす)

木の形と、ぼうをたがいちがいに組んでつんだ形。

木のぼうを組み合わせてつんだ形から「組み立て・かまえ」の意味をあらわす。

↓
構

- 画数 14
- オン コウ
- くん かまえる かまう

水の形と、太陽の下に人が集まっている形。

大小の水の流れが集まってまざりあうことで「まざる・まぜる」の意味をあらわした。

↓
混

- 画数 11
- オン コン
- くん まじる まざる まぜる こむ

「言」と、木をたがいちがいにつみ上げた形。

言葉を組み立てて、相手がわかるように話すことから「話す・説明する」の意味をあらわす。

「言」も見よう。55ページ

↓
講

- 画数 17
- オン コウ
- くん

(207)

丸太のぼうの形と、それをつみかさねた形。

同じものをいくつもつむことから「ふたたび・もういちど」の意味をあらわす。

画数 6
オン サイ・*サ
くん ふたたび

木の形と、ものをつみかさねた形。

切った木をつみかさね、どの木が材料としてよいかを調べることから「調べる」の意味をあらわした。

画数 9
オン サ
くん

5年【サ〜サ】

はたきを持った手の形と、女の人の形。

はたきを持ったりして、家の中ではたらく人から「つま・おくさん」の意味をあらわした。

画数 8
オン サイ
くん つま

川にじゃまなものが横たわっている形と、火の形。

川があふれ水害が起きたり、火で火事になったりすることから「わざわい」の意味をあらわした。

「災」を使った言葉。天災、人災、災難、災害、火災、災害。

画数 7
オン サイ
くん （わざわい）

5年【サ〜サ】

際

がけの断層の形で「つみ上げた土」のことと、「祭」。

がけ下のきわに人が集まってお祭りをするようすで「きわ・人とつき合う」などの意味をあらわす。

「祭」も見てみよう。102ページ

画数 14
オン サイ
くん （きわ）

採

手の形と、指先で木の芽をつむ形。

手で木の芽をつみ取る形で「手でとる・とりあげる」の意味をあらわす。

ぼくのこん虫採集すごいだろ。

画数 11
オン サイ
くん とる

財

貝の形で「お金」のことと、土の中から芽が出た形。

芽を出した植物がのびていくように、これから値打ちが出てくる財産のことから「たからもの」の意味をあらわす。

画数 10
オン ザイ・(*サイ)
くん

在

根が出て、土の上に芽が出た形と、木や草が芽を出している地面の形で「土」。

根も芽もたしかにそこにあるということで「ある・いる」の意味をあらわす。

【気圧】気体の押す力
【空気圧】空気の押す力

画数 6
オン ザイ
くん ある

(209)

着物のえりの形と、「集」を略した形。

さまざまな模様の布を集めてつくった衣服のことから「いろいろなものがまざっている・まじる」の意味をあらわす。

「集」も見てみよう。108ページ

- 画数 14
- オン ザツ・ゾウ
- くん

魚や鳥をとるあみの形と、広げた鳥の羽が反対向きの形で「非」（230ページ）。

人の道にそむくような悪いことをして法律のあみにかかることから「つみ・わるいしわざ」の意味をあらわす。

「うまそうだな。もらうぜ。」

- 画数 13
- オン ザイ
- くん つみ

一人前の男がふたりならんだ形と、貝の形で「お金」のこと。

人にりっぱな品物を持っていき、受け取った人がそれをほめ、お返しの品物をやることから「ほめる・同じ考えを持つ」という意味をあらわす。

- 画数 15
- オン サン
- くん

かめに酒が入っている形と、背のすらっとした人の形。

酒が発こうしてできたもので健康にいい「酢」の味から「すっぱい・さん」の意味をあらわす。

【反対語】
酸性↔アルカリ性
酸化↔還元

- 画数 14
- オン サン
- くん （すい）

5年【サ〜サ】

5年【シ〜シ】

志

前へ進む足の形と、心臓の形で「こころ」のこと。

心がある目標に向かって進むことから「こころを向ける・こころざし」の意味をあらわす。

画数 7
オン シ
くん こころざす　こころざし

支

竹の枝を手に持っている形。

手に持った竹の葉っぱが左右にわかれることから「枝のようにわかれる・ささえる」の意味をあらわす。

画数 4
オン シ
くん ささえる

師

土がつみかさなった地層の形で「集まる」ことと、たれはたの形。

はたのもとに集まっている「軍隊」のこと。そこから「軍をひきいる人・指導する人」の意味もあらわす。

画数 10
オン シ
くん

枝

木の形と、何枚かの葉のついた竹を持った手の形で「枝わかれしたもの」のこと。

木の幹からわかれてできたものということで「えだ」をあらわした。

画数 8
オン (シ)
くん えだ

(211)

食と、横向きの人と口の形。

横向きの人と口は、人や動物の口に食べものを運ぶこと。そこから「養う・かう」のことをあらわした。

「食」も見よう。66ページ

画数 13
オン シ
くん かう

立ち止まってあくびをする形で「次」のことと、貝の形で「お金」のこと。

命の次に大切なものは、仕事や生活の元手になる財産だということで「もとで・もと」の意味をあらわした。

画数 13
オン シ
くん

5年【シ〜シ】

人の形と、自分の横顔。

人の横顔はだれでもだいたい似ているということから、「にる」という意味をあらわした。

画数 7
オン (ジ)
くん にる

神をまつる祭だんの形。

祭だんにそなえものをしてそのままかざっておくことから「しめす・見せる」の意味をあらわした。

画数 5
オン ジ・(シ)
くん しめす

(212)

5年 [シ〜シ]

質

おのをふたつ並べた形で「つり合う」ことと、貝の形で「お金」のこと。

あずけた品物とつり合ったお金を借りることから「やくそくのしるし」という意味をあらわし、「ものの中身をつくっているもの」の意味もあらわした。

画数 15
オン シツ・(シチ)・(*チ)
くん

識

「言」と、口から出る言葉としるしのぼう。

言葉にしてはっきりものをわかろうとすることから「知る・見わける」の意味をあらわす。

「言」も見よう。55ページ

画数 19
オン シキ
くん

謝

「言」と、矢を手に持って弓をひく形。

弓からはなれる矢のように、きっぱりと気持ちをあらわすことから「あやまる・お礼を言う」の意味をあらわす。

画数 17
オン シャ
くん (あやまる)

舎

やねと柱だけのあずまやの形。

やねと柱で、かべのないかんたんな「家・たてもの」の意味をあらわした。

「捨」も見よう。259ページ

画数 8
オン シャ
くん

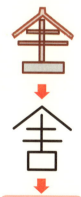

(213)

5年【シ～シ】

修

水をかけて行水させている形と、かみの毛につけるかざりの形。

体を洗ってきよめ、きれいにかざることから「身につける・ととのえる・かざる」の意味をあらわす。

- 画数 10
- オン シュウ・(*シュ)
- くん (おさめる) (おさまる)

授

手の形と、ものをつまむ手、船、右手の形で「受ける」こと。

船につんできた荷物を受けわたすことに、さらに手をつけて意味を強め「さずける・与える」意味をあらわした。

「受」も見よう。107ページ

- 画数 11
- オン ジュ
- くん (さずける) (さずかる)

術

十字路の形と、キビの形。

背の高いキビの生えた道でも、何度も歩けば道をおぼえられるように、くり返すことで身につく「わざ・学問」をあらわした。

- 画数 11
- オン ジュツ
- くん

述

道と足の形で「道を歩く」ことと、キビの形。

背の高いキビ畑の中をスイスイ歩くさまから、自分の意見をスラスラ「のべる」の意味になった。

- 画数 8
- オン ジュツ
- くん のべる

5年【シ～シ】

一方をかけに寄りかからせた家の形と、いろいろな品物がくっついてのびる形で「予」(134ページ)。

家にくっついている玄関のようなところで、最初に入る場所ということから「はじめ・じゅんじょ」の意味になった。

画数 7
オン ジョ
くん

水の形と、木にとまっているハヤブサの形。

空中をすべるように水平に飛ぶハヤブサのような平らな水の表面のことから「平らなこと・平均・目安」をあらわした。

画数 13
オン ジュン
くん

ひざまずく形と、手で持ち上げている形。

手を出してえらい人からものを授かるような形から「うけつぐ・聞き入れる」などの意味をあらわす。

「野比家に伝わる巻物をきみに伝えよう。」

画数 8
オン ショウ
くん (うけたまわる)

手の形と、ひれふしている人と、口の形。

神のおつげを聞かせるために人をよびよせることから「よびよせる・まねく」という意味をあらわす。

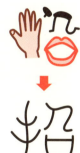

「カムカムキャット」でお客さんをよびよせるよ。

画数 8
オン ショウ
くん まねく

(215)

条

さかさまの足の形と、木の形。

木のそばで休もうと立ち止まり、来た道をふり返ることから、自分の歩いてきた「すじ道」の意味をあらわす。

- 画数 7
- オン ジョウ
- くん

証

「言」と、足と目標の線で「正しく進む」こと。

うそではなく、正しいことを言葉で示すことから「あかしをたてる」の意味をあらわす。

「言」も見よう。
55ページ

- 画数 12
- オン ショウ
- くん

常

まどからけむりが出ている形と、布の形。

昔の人は、たなびくけむりのような長いスカート状の服をいつも着ていたので「いつもの・かわらない」の意味をあらわした。

歩きにくいわ。
ズルズル

- 画数 11
- オン ジョウ
- くん つね（とこ）

状

木をたてに割ってつくった台の形と、イヌの形。

イヌのねそべったようすが長い台に見えるということから「ありさま・すがた形」の意味をあらわした。

すごいありさま。

- 画数 7
- オン ジョウ
- くん

5年【シ〜シ】

(216)

5年 [シ〜セ]

糸をたばねた形と、「音」と、しるしのぼうの形。

「音」と「ぼう」でリズムや音楽のこと。いろいろな音を交えてつくる音楽のように、いろいろな色の糸を交えるということで「布をおる・組み立てる」の意味をあらわす。

- 画数 18
- オン シキ・(ショク)
- くん おる

心臓の形で「こころ」と、草と井戸の形で「青」(35ページ)。

青くすんだ水のような心ということで「まごころ」の意味をあらわす。

「表情コントローラー」でわらいボタンをおすと……。

- 画数 11
- オン ジョウ・(*セイ)
- くん なさけ

木のとちゅうを切る形と、刀の形。

木を刀で切りそろえることから「とめる・おさえる・決まり・規則」などの意味をあらわす。

中学生になったら制服があるの。

- 画数 8
- オン セイ
- くん

耳の形と、「言」の口にものが入った形、ぼうくいを立てた形。

人の話を聞いて、文にする仕事をする人が、はたをつけたぼうを立てて目印にしたところから、「仕事・役目」の意味になった。

おれが将来なりたい職業は歌手だ。

- 画数 18
- オン ショク
- くん

(217)

目標をあらわす線と足で「正しい」ことと、手にむちを持った形。

↓

悪いことをした人をむちでたたいて正しい生活をさせることから「国をおさめる・まつりごと」の意味になった。

↓

政

画数 9
オン セイ・(*ショウ)
くん (まつりごと)

心臓の形で「こころ」のことと、土を押しわけて、芽が出てきた形で「生」。

↓

生まれながらにして持っている心のことで「生まれつき・ものごとの性質」のことをあらわした。

 女性。 男性。

↓

性

画数 8
オン セイ・(ショウ)
くん

イネのほの形で米のことと、草と井戸の形で「青」(35ページ)。

↓

青はすみきっていること、米をよくついてぬかを取りのぞき、すみきった米にすることから「打ち込むこと・まじりけをなくすこと・細かい」などの意味をあらわした。

↓

精

画数 14
オン セイ・(*ショウ)
くん

人が農具を使って土をわけている形と、うでの力こぶの形。

↓

すきで土をたがやすと、作物は元気よく育つので「元気なようす・いきおい」の意味になった。

 SL えんとつって勢いが止まらない。

↓

勢

画数 13
オン セイ
くん いきおい

5年【セ〜セ】

5年【せ〜セ】

税

イネのほがたれている形（かたち）と、人（ひと）が口（くち）を開（あ）けてわらっている形（かたち）。

いつもまじめな顔（かお）をしている役人（やくにん）も、農民（のうみん）から取（と）り上げるねんぐの米（こめ）を見（み）ると喜（よろこ）んだということから「ぜい・ぜいきん」の意味（いみ）をあらわした。

↓

↓
税

「税金鳥」だ。
「アナタノオコヅカイカラ税金ヲ取リマス。」

画数 12
オン ゼイ
くん

製

木（き）のとちゅうを切（き）る形（かたち）と刀（かたな）の形（かたち）で「制（せい）」と、着物（きもの）のえりの形（かたち）で「ころも」のこと。

着物（きもの）をつくるときに布（ぬの）を断（た）つように、木（き）を切（き）って「品物（しなもの）をつくる」という意味（いみ）をあらわす。

↓

↓
製

「制（せい）」も見（み）てみよう。217ページ

画数 14
オン セイ
くん

績

糸（いと）をたばねた形（かたち）と、とげのある木（き）の形（かたち）と、貝（かい）の形（かたち）で「責（せき）」。

責（せ）め立（た）てるようないきおいでカタカタと糸（いと）をつむぐことから「糸（いと）をつくる」ことをあらわし、そこから「仕事（しごと）のできばえ」の意味（いみ）もあらわした。

↓

↓
績

「責（せき）」も見（み）よう。（→右）

画数 17
オン セキ
くん

責

とげのある木（き）の形（かたち）と、貝（かい）の形（かたち）で「お金（かね）」のこと。

とげでさすように、チクチクと貸（か）したお金（かね）を返（かえ）せとせめ立（た）てることから「せめる」の意味（いみ）をあらわした。

↓
責

のび太のせいだぞ。責任取れよ。

画数 11
オン セキ
くん せめる

設

「言」と、ほこを持っている形。

人に命じて、道具を使って、祭りや儀式の場所をつくることから「もうける・しつらえる」ことをあらわした。

↓

↓

設

「るまた(几又)」を使った字を探そう。
殺・設・段

画数 11
オン セツ
くん もうける

接

手の形と、いれずみの針と女の形で「女の罪人」のこと。

罪人にいれずみをするために手で引きよせることから「ちかづく・ちかよせる」の意味をあらわした。

↓

↓

接

画数 11
オン セツ
くん （つぐ）

絶

糸をたばねた形と、刀の形と、ひざまずく人の形。

人が刀で糸たばをたち切ることから「たち切る・なくなる」の意味をあらわす。

絶交だ。

↓

↓

絶

画数 12
オン ゼツ
くん たえる
たやす
たつ

舌

舌を出している形で「した」をあらわした。

口の中の「した」のこと。

↓

「舌」が入っている字。辞

↓

↓

舌

画数 6
オン （ゼツ）
くん した

5年【せ〜セ】

(220)

5年 [セ〜ソ]

神をまつる祭だんの形と、台の上にものをかさねた形。

ものをかさねた形で代々続く先祖の意味、それをまつることから「家系の元の人とそれに続く人」の意味をあらわし、「ものごとを始めた人」の意味もあらわす。

「且」が入っている字を探そう。
組・助・粗・査

画数 9
オン ソ
くん

↓ 祖 ↓ 祖

山に黄金がまじっている形で「金属」のことと、ふたつのほこで「小さくする」こと。

小さくけずったような、小さなお金ということで「ぜに」の意味になり、「お金の単位」にも使われた。

画数 14
オン セン
くん (ぜに)

↓ 銭

糸をたばねた形と、脳と心臓の形。

脳と心臓の形で考えのすべてが集まるところをあらわし、糸がいっぱい集まった「ふさ」のことや「まとめる」の意味をあらわす。

画数 14
オン ソウ
くん

↓ 総 ↓ 総

先の方がたれている糸たばの形。

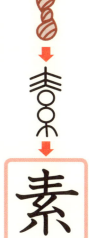

まだ、そめたり、布におったりする前の糸をあらわし「もののもとになるもの・かざりけのないもの」の意味をあらわす。

「ロボットの素」で、雪だるまがロボットになるよ。

画数 10
オン ソ・(ス)
くん

---

(221)

人と、ゾウの形。

「象」は「かたどる」という意味もあり、「像」は「人があるものに似せて、書いたり、つくったりしたもの」の意味をあらわした。

- 画数 14
- オン ゾウ
- くん

道と足の形で「道を歩く」ことと、ウシと口の形で「おつげ」のこと。

神のおつげを聞くたてものをつくりに行くことから「つくる・こしらえる」の意味をあらわした。

- 画数 10
- オン ゾウ
- くん つくる

5年【ソ～ソ】

貝の形で「財産」のことと、刀の形。

財産を公平にわけるには、正しい決まりにしたがってわけなければならないので「決まり・標準」の意味をあらわした。

- 画数 9
- オン ソク
- くん

木や草が芽を出している地面の形で「土」と、かさなったセイロウの形。

セイロウをかさねるように、土の上に土をかさねていくことで「ふえる・ふやす」の意味をあらわす。

- 画数 14
- オン ゾウ
- くん ます
   ふえる
   ふやす

(222)

5年 [ソ〜ソン]

しっぽのある動物の形と、その動物から生まれた子どもの形。

子どもが代々続いて生まれてくることで「つきしたがう・仲間」の意味をあらわす。

↓

↓

属

画数 12
オン ゾク
くん

水の形と、貝の形と刀の形で「決まり」のこと。

決まりどおりに水の深さをはかることで「はかる・おしはかる」の意味をあらわす。

↓

測

画数 12
オン ソク
くん はかる

手の形と、たからものや貝の形で「財産」のこと。

たくさんある財産もとられればなくなることから「減る・減らす・こわす・そん」の意味をあらわす。

↓

損

画数 13
オン ソン
くん (そこなう) (そこねる)

糸たばの上下にぼうを通して水をしぼっている形。

糸をしぼって中心にひとまとめにすることから「まとめひきいる」ことをあらわし、のちに「割合」などの意味もあらわすようになった。

【調べてみよう】
百分率ってなに?

↓

率

画数 11
オン リツ・(ソツ)
くん ひきいる

退

道と足の形で「道を歩く」ことと、太陽の形と、人の反対向きの形。

太陽が出るのと反対にしずんでいくことから「しりぞく・おとろえる」という意味をあらわす。

画数 9
オン タイ
くん しりぞく
　　 しりぞける

貸

人と境のくいの形で「代」と、貝の形で「おかね」のこと。

代わりにおかねを出すということで「かす」の意味をあらわす。

「代」も見よう。117ページ
[反対語] 貸す⇔借りる

画数 12
オン （タイ）
くん かす

態

クマのような動物と人の形で「能」と、心臓の形で「こころ」のこと。

人のこころのはたらきのことで、「姿・ありさま・心がまえ・ふるまい」の意味をあらわす。

「能」も見よう。228ページ

画数 14
オン タイ
くん

団

かこいの形と、「寸」（265ページ）。

手でかこって、かためて小さくしてだんごのようにすることから「かたまり・あつまり」の意味をあらわす。

うまい団子だ。

画数 6
オン ダン・(*トン)
くん

5年【タ〜タ】

5年【タ〜テ】

竹の葉の形で竹のことと、工具で基礎をつくる形と、木の形。

竹や木を使って土をもり土台をつくることから「きずく・土木工事をする」の意味をあらわす。

画数 16
オン チク
くん きずく

築

糸たばを区切る形と、おのと木の形。

糸のたばと、おので切ることから「たち切る・ズバリやる」の意味をあらわす。

画数 11
オン ダン
くん ことわる（たつ）

断

手の形と、日と正の組み合わせで太陽の動きは正確で「正しい」こと。

これが正しいと、しょうこを手にささげ持つことから「さし出す・手に下げて持つ」の意味をあらわした。

画数 12
オン テイ
くん （さげる）

提

弓の形と、かみの毛の長い老人の形で「長」（73ページ）。

弓のつるを引くと、長いかみの毛が風でふくらむような形にのびることから「はる・ふくれる」の意味をあらわす。

画数 11
オン チョウ
くん はる

張

(225)

適

道と足の形で「道を歩く」ことと、天井からしずくが落ちる形。

しずくがポタリポタリと落ちるように、一歩一歩まっすぐ歩いて行くことで「当てはまる・心にかなう」意味をあらわした。

「啇」を使った字
適滴敵

画数 14
オン テキ
くん

程

イネのほがたれている形と、人が口を開けて立っている形で「はっきりと示す」こと。

イネは、はっきりと示される育ち方とつくり方があることから「決まり・道すじ」の意味をあらわした。

画数 12
オン テイ
くん （ほど）

5年【テ～ト】

統

糸をたばねた形と、さかさまの赤んぼうと走る形で「人が成長する」こと。

糸をつむいでいくと、まるで成長しているかのようにどんどん長い1本の糸にまとまっていくことから「まとめる」の意味をあらわす。

画数 12
オン トウ
くん （すべる）

敵

天井から落ちるしずくの形と、手にむちを持った形。

落ちるしずくがまっすぐ地面に向かうように、まっすぐに向かう相手のこと、つまり「てき・かたき」の意味をあらわす。

画数 15
オン テキ
くん （かたき）

5年【ト～ト】

人の顔と歩いていくことで「道」と、手の形と、一のしるし。

手を引いて道を行くことから「みちびく・案内する」の意味をあらわした。

画数 15
オン ドウ
くん みちびく

山に黄金がまじっている形で「金属」と、厚い板に開けた穴の形で「同」(76ページ)。

金と同じように、価値のある金属で「どう・あかがね」をあらわした。

画数 14
オン ドウ
くん

イヌの形と、マムシの形で「虫」のこと。

イヌが虫のようにからだをまるめてじっとしていることを好むことから「ひとり・ただひとつ」の意味をあらわす。

画数 9
オン ドク
くん ひとり

十字路の半分の形で「行く」ことと、十と目と心臓の形。

十人の目と心で判断することで「正しい」こと、正しいことを行うことから「よいことをする心のはたらき」をあらわした。

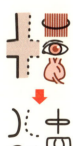

画数 14
オン トク
くん

(227)

火の形と、肉と犬と火であぶるしるしで「然」。

もともと「然」が燃やすという意味だったのが、「その通り」などの意味に使うようになってしまったため、火へんをつけて「もやす」という意味をあらわした。

[反対語]
可燃 ↔ 不燃

画数 16
オン ネン
くん もえる
　　 もやす
　　 もす

↓

↓

燃

人と、おなかにしるしをつけて、赤ちゃんがいる意味の形。

おなかに子どもをかかえているように、「かかえこんだ責任や仕事」の意味をあらわした。

画数 6
オン ニン
くん まかせる
　　 まかす

↓

↓

任

石の形と、けものの皮を手ではぐ形。

石のおので、けものの皮をはぐことで「やぶる・やりぬく」の意味をあらわす。

画数 10
オン ハ
くん やぶる
　　 やぶれる

↓

↓

破

クマと人の形。

クマのようにりこうで強い人ということから「よくできる・はたらき」の意味をあらわした。

画数 10
オン ノウ
くん

↓

↓

能

5年 【ニ〜ハ】

(228)

5年【ハ〜ヒ】

判

ウシをわける形で「半」と、刀の形。

家の財産であるウシをわけることだったが、のちに「区別する・はっきりさせる」の意味になった。

画数 7
オン ハン・バン
くん

犯

イヌの形と、ひざまずいた人の形。

犬がかい主にしかられてうなだれていることから「してはならないことをする・決まりを破る」の意味をあらわした。

画数 5
オン ハン
くん （おかす）

比

ふたりが同じ方向を向いて並んだ形。

ふたりが並んだ形から「並べる・くらべる」という意味になった。

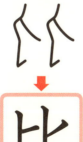

画数 4
オン ヒ
くん くらべる

版

木をたてに切りわけた右側の形と、手で板を押している形。

うすい板のことで文字を書くものだったが、後に印刷のための「はんぎ」の意味をあらわした。今は「印刷用のはん・本を印刷すること」などの意味にも使われる。

画数 8
オン ハン
くん

広げた鳥の羽が反対向きになった形。

つばさが反対を向いていることから「そうではない・〜とちがう」の意味をあらわす。

↓

↓
非

画数 8
オン ヒ
くん

肉の形と、ひざまずく人の形。

座ると、ももの肉がもり上がるように、肉づきよく「太る・こえる」の意味をあらわす。

↓

↓
肥

画数 8
オン ヒ
くん こえる
こえ
こやす
こやし

5年【ヒ〜ヒ】

人と、毛でできた服で「表」のこと。

米や麦などを入れる袋の表ということから「たわら」の意味になった。

↓

↓
俵

画数 10
オン ヒョウ
くん たわら

人と、矢をそろえて入れる入れものの形。

きちんと入れておくことから、ものを用意して「そなえる・用意する」という意味をあらわす。

↓

↓
備

画数 12
オン ビ
くん そなえる
そなわる

5年【ヒ〜フ】

一本のぼうを刀で切る形で「分」と、貝の形で「お金」のこと。

お金や財産をわけていくと少なくなることから「まずしい・たりない」の意味をあらわす。

「分」も見よう。
80ページ

画数 11
オン ピン・(ヒン)
くん まずしい

貧

「言」と、浮き草が水の上に浮いている形で平らなこと。

平らな言葉、つまりどちらにもかたよらず「ものごとのよいわるいを決める」ことをあらわした。

「言」も見よう。
55ページ

画数 12
オン ヒョウ
くん

評

女の人の形と、ほうき草の形。

ほうきを持ってはたらく人のことから「よめ・つま」をあらわしました。

画数 11
オン フ
くん

婦

おのを持った右手の形と、ぬのの形。

昔、父のものには上等なぬのが使われたので「ぬの」の意味をあらわした。また、ぬのを広げたりすることから「広げる・ゆきわたらせる」の意味もあらわす。

画数 5
オン フ
くん ぬの

布

(231)

武

えの長いほこの形と、足の形。

武器を持って進んでいくことから「いくさ・いさましい」の意味をあらわす。

武器になるひみつ道具「空気砲」。
ドカン

画数 8
オン ブ・ム
くん

富

家のやねの形と、倉にものがいっぱいつまっている形。

倉にものがつまっていることで「とみ・とむ・増える」の意味をあらわした。

うちは富裕層だぞ。

画数 12
オン フ・(*フウ)
くん とむ
とみ

5年【フ〜フ】

複

着物のえりの形で「ころも」のことと、階段と足の形。

階段を上がったり下がったりするように着物を何枚もかさねて着ることから「同じことを二度以上する」の意味をあらわす。

画数 14
オン フク
くん

復

十字路の半分の形で「行く」ことと、段を上ってまた下りるしるし。

段を上ってまた下りることから「もとのところにもどる・帰る・くり返す」の意味をあらわす。

「复」が入っている字
複・腹

画数 12
オン フク
くん

(232)

5年【フ〜ホ】

編

糸をたばねた形と、戸の形と、ひもでとめたふだの形。

札と戸は戸籍をあらわし、昔の書類のこと。それをひもでとじて書物のようにすることから「あむ・組み立てる」の意味をあらわす。

- 画数 15
- オン ヘン
- くん あむ

仏

人と、うででかかえこむ形。

うででかかえこんだ空間は、広いという意味。広い心の人から「ほとけ」の意味をあらわす。

- 画数 4
- オン ブツ
- くん ほとけ

保

人と、赤ちゃんを大事にくるんだ形。

赤ちゃんを大事にだくことから「養う・育てる・世話をする」意味になった。

- 画数 9
- オン ホ
- くん たもつ

弁

かんむりを両手で持ち上げている形。

もとはかんむりの意味だったが、「ポンプなどのべん・花びら・区別する・役立つ」などの意味にも使われるようになった。

花びらのことを花弁と言うんだよ。

- 画数 5
- オン ベン
- くん

首をうなだれた人とさかさまの人の形と、ひざまずいている人を手で押さえつけている形。

悪いことをした人を、ひざまずかせて押さえつけて刑罰を与えることで「むくいる・しかえし」の意味。

画数 12
オン ホウ
くん （むくいる）

草の間にしずむ太陽の形で「かくれる」ことと、「土」(39ページ)。

死んだ人に土をかぶせて見えなくすることで「はか」をあらわした。

「莫」が入っている字
暮・幕

画数 13
オン ボ
くん はか

5年【ホ〜ホ】

がけの断層の形で「つみ上げた土」のことと、二そうの船のへさきを繋いだ形で「並べる」こと。

土をつみ上げて並べ、あふれる水を防ぐことから「ふせぐ・まもる」の意味をあらわす。

画数 7
オン ボウ
くん ふせぐ

イネのほの形と、山の形と、あしのついたうつわの形。

イネのほを山のようにうつわにつんだ形で「こく物がゆたかに実ったこと・ゆたか」の意味をあらわした。

画数 13
オン ホウ
くん ゆたか

(234)

5年【ホ〜ム】

暴

太陽の形と、ぬれたものを両手でしぼる形。

ぬれたものを日にあて、かわかすことで「さらす・あらあらしい」の意味をあらわした。

- 画数 15
- オン ボウ・(*バク)
- くん あばれる
  (あばく)

貿

小川の水を引いてたまり水をつくった形と、貝の形で「お金」のこと。

ためたお金や品物を交換することから「品物を取り換える・売り買いする」の意味をあらわした。

交換しよう。

- 画数 12
- オン ボウ
- くん

夢

長いまつげと閉じたまぶたの形と、「夕」（35ページ）。

夜になって目を閉じると見る「ゆめ」をあらわした。

- 画数 13
- オン ム
- くん ゆめ

務

ほこの形と、ムチを持った形と、うでの力こぶの形。

ムチやほこでたたいてむりに仕事をさせることから、力をつくして行う「つとめ・役目」の意味をあらわした。

ぼくの務めはのび太くんのめんどうをみること。

- 画数 11
- オン ム
- くん つとめる
  つとまる

糸をたばねた形と、太陽の光の形で「白」と、布の形。

白い布をおる糸がとれる「わた」のことで「わた・もめんの糸や布」の意味をあらわした。

綿あめおいしいわ。

- 画数 14
- オン メン
- くん わた

道と足の形で「道を歩く」ことと、八方へのびる道の形。

道が四方八方にのびているのでどちらへ行ったらいいかわからないことから「まよう」の意味になった。

- 画数 9
- オン (メイ)
- くん まよう

家のやねのほね組みの形と、わけるしるし。

小さな小屋の中に入りきらないこく物をわけて入れるということから「あまる」の意味をあらわす。

余ったらちょうだい。
余らないよ。

- 画数 7
- オン ヨ
- くん あまる
  あます

車の形と、船と、のみとけずりかすの形。

車や木をけずって作った船を使って人やものを移動することから「ものを運ぶ・送る」の意味をあらわす。

輪 形の似ている字。

- 画数 16
- オン ユ
- くん

5年【メ〜ヨ】

家のやねの形と、山と山の間の水の出ている口の形で「谷」。

谷は水がたまっているところ、家の中がものをためておけるところということから「入れる・中身」の意味をあらわした。

5年【ヨ〜リ】

画数 10
オン ヨウ
くん

いろいろな品物の形と、あたまの形。

よく顔を知っている人に品物を預けることから「あずける・あずかる」の意味をあらわす。

画数 13
オン ヨ
くん あずける　あずかる

たまり水と田んぼの形で「ため池」のこと。

田んぼに入れる水を川から引き込んでためておいたことから「とどめる・そのままにしておく」の意味をあらわす。

画数 10
オン リュウ・*ル
くん とめる　とまる

田んぼの形と、もどってきた足の形と口の形で「各」（145ページ）。

おのおのの田の区分けを決めることから「考え・はかりごと・うばい取る」や「かんたんにする」などの意味をあらわす。

画数 11
オン リャク
くん

5年【リ】

人が集まる形と、ひざまずく形。そして、あたまの形。

人をひざまずかせて大切なこと言いつけることから「支配する・大切なこと」の意味になった。

画数 14
オン リョウ
くん

領

熟語の話

1 熟語のできかた・2つの漢字の組み合わせ

二つ以上の漢字を組み合わせて一つの言葉にしたものを「熟語」といいます。二字の漢字の、いろいろなつながり方を知っていると、初めて見た熟語の意味も推測できますよ。

❶ 上から下へ読むと意味がわかるもの
海中（海の中） 火山（火の山） 外出（外へ出る）

❷ 下から上へ読むと意味がわかるもの
乗車（車に乗る） 消火（火を消す） 帰国（国に帰る）

❸ 意味が似た漢字の組み合わせ
身体（身と体） 根本（根と本） 温暖（温と暖）

❹ 意味が反対の漢字の組み合わせ
上下（上と下） 晴雨（晴れと雨） 売買（売り買い）

【問題】次の漢字は❶〜❹のどれにあてはまりますか。

児童（ ） 採血（ ） 北国（ ） 高低（ ）

(238)

2 もっと長い熟語のできかた

二つ以上の漢字を使った熟語も、基本は二つの漢字の組み合わせです。どこかの部分に二つの漢字の組み合わせが交じっていることが多いのです。いろいろな言葉を探してみましょう。

大成功＝大＋成功（一字＋二字）
例…山小屋・非常識

必然的＝必然＋的（二字＋一字）
例…本格的・北極星・自由業

身体検査＝身体＋検査（二字＋二字）
例…募金運動・円満解決

交通安全週間＝交通＋安全＋週間（二字＋二字＋二字）
例…国民体育大会

---

3 連濁（れんだく）ってなに？

熟語になると、後ろにくっつく漢字の読み方が、濁点や半濁点がついて変化することがあります。たとえば、花（はな）という漢字の訓読みに「ばな」はありませんが、草がついて熟語になると、草花（くさばな）と読みますね。前につく漢字によって、発音が変化したと考えられます。法（ほう）に、憲がつくと、憲法（けんぽう）となるように、半濁音になるときもあります。これを連濁（れんだく）といいます。

【問題】声に出して読んでみましょう。

忍者　洪水　金品　気心　一本　三百　出版
縮刷版　株式会社

【答】❶ 児童…❸ 採血…❷ 北国…❶ 高低…❹
❸ にんじゃ　こうずい　きんぴん　きごころ　いっぽん　さんびゃく　しゅっぱん
しゅくさつばん　かぶしきがいしゃ

(239)

6年生で習う漢字

いよいよ最後の6年生。

がんばっておぼえた漢字はきっとみんなの、

になるよ！
（答えは281ページ。）

●6年生の漢字もくじ●
（181字・アイウエオ順。同じ読みの場合は画数の少ない順）

異遺域宇……242	映延沿我……243	灰拡革閣……244	割株干巻……245
看簡危机……246	揮貴疑吸……247	供胸郷勤……248	筋系敬警……249
劇激穴絹……250	権憲源厳……251	己呼誤后……252	孝皇紅降……253
鋼刻穀骨……254	困砂座済……255	裁策冊蚕……256	至私姿視……257
詞誌磁射……258	捨尺若樹……259	収宗就衆……260	従縦縮熟……261
純処署諸……262	除将傷障……263	城蒸針仁……264	垂推寸盛……265
聖誠宣専……266	泉洗染善……267	奏窓創装……268	層操蔵臓……269
存尊宅担……270	探誕段暖……271	値宙忠著……272	庁頂潮賃……273
痛展討党……274	糖届難乳……275	認納脳派……276	拝背肺俳……277
班晩否批……278	秘腹奮並……279	陛閉片補……280	暮宝訪亡……281
忘棒枚幕……282	密盟模訳……283	郵優幼欲……284	翌乱卵覧……285
裏律臨朗……286	論……287		

6年

道と足の形で「道を歩く」ことと、両手にものをかかえた形と、貝の形。

手にかかえていた大切なものをわすれて歩いていってしまうことで「わすれる・のこす」の意味になった。

富士山は、世界遺産だよ。

画数 15
オン イ・(*ユイ)
くん

台にのせた神へのさげものを両手で持つ形。

神にささげるものはふつうのものとは異なることから「ちがう・めずらしい」の意味をあらわす。

異星人。

画数 11
オン イ
くん こと

家のやねの形と、植物のつるが大きく曲がりながらのびていく形。

建物のやねが曲がって大きく広がることで「のき・やね」の意味をあらわした。そこから地上をおおう「天・空間」の意味をあらわす。

読めるかな?
「宇宙」

画数 6
オン ウ
くん

【答え】宇宙→うちゅう

木や草が芽を出している地面の形で「土」と、国と国の境の形と、ほこの形。

ほこを立てて国と国の境を示したことから「土地の境・はんい」の意味をあらわす。

ぼくの美しさは芸術の域だな。

画数 11
オン イキ
くん

6年【イ〜ウ】

(242)

延

道をのばした形で「ゆっくり行く」ことと、足の形とのばすしるし。

まっすぐのびる道をゆっくりと歩くことから「引きのばす」の意味をあらわす。

画数 8
オン エン
くん のびる / のべる / のばす

↓

↓
延

映

太陽の形と、広場の形と人の形で「央」。

えらい人が日の光に照りはえるように見えることから「光かがやく・うつる・うつす」の意味をあらわす。

「央」も見よう。91ページ

画数 9
オン エイ
くん うつる / うつす / (はえる)

↓

↓
映

我

手の形と、えの長いほこの形。

ほこを手に持ってわが身を守ることから「じぶん・わたし」の意味をあらわす。

画数 7
オン (ガ)
くん われ / (わ)

↓

↓
我

沿

水の形と、わかれるしるしと、谷の形。

谷川の水は、くぼみにそって流れるので「ついていく・そう」の意味をあらわした。

画数 8
オン エン
くん そう

↓

↓
沿

6年 [エ〜カ]

(243)

手の形と、がけに寄りかからせた家とうでの形で「広い」こと。

手で広げることで「ひろげる・ひろめる・ひろがる」ことをあらわす。

【反対語】
拡大↔縮小

画数 8
オン カク
くん

左手の形と、火の形。

火がもえきった後に残る、手でつかめるもえがらのことで「はい」をあらわした。

「花さかばい」この灰をまくと花が咲くよ。

画数 6
オン （カイ）
くん はい

門の形と、反対向きの足と、口の形で「各」（145ページ）。

門のところで、ひとりひとり用件を聞いてから中に入れるようなりっぱなたてもののことで「政治をつかさどる場所・高いたてもの」の意味をあらわす。

門のつく字はいくつ思い出せる？

画数 14
オン カク
くん

両手とけもののほねの形。

動物のほねや肉、毛を取りのぞいてきれいにした「かわ」のこと。また皮をいろいろ加工して変えることから「あらためる」の意味もあらわす。

ワニ革のバッグざます。

画数 9
オン カク
くん （かわ）

6年【カ〜カ】

株

木の形と、木の幹をしめした形。

木の幹を切ったときの切り口の色が朱色であり、その切り口のことから「切りかぶ」の意味をあらわした。

- 画数 10
- オン
- くん かぶ

割

家の中にしげる草と口の形で「害」と、刀の形。

害するものを刀でたち切ることから「切りさく・わる」の意味をあらわす。

「害」も見よう。144ページ

- 画数 12
- オン （カツ）
- くん わる
    わり
    われる
    （さく）

巻

お米を両手で丸めようとしている形と、人がひれふしている形。

人がかがんで、両手で米を丸める形から「まく・まきもの」の意味になった。

- 画数 9
- オン カン
- くん まく
    まき

6年【カ～カ】

干

先がふたまたになったほこの形。

てきを突きさす武器のことから「たちいる・かかわる」という意味をあらわす。また「乾」と同じ音であることから「ほす」という意味に使われるようになった。

[干渉] 他人のことにたちいること。

- 画数 3
- オン カン
- くん ほす
    （ひる）

(245)

竹の葉の形で竹のことと、門のすきまから日がさす形で「間」。

昔、竹でつくった板をひもで間を開けるようにしてつないだものに文字を書いたところから「書物・手紙」のことをあらわす。後に「手軽」の意味もあらわすようになった。

【反対語】
簡単 ↔ 複雑

画数 18
オン カン
くん

手と、目の形。

目の上に手をかざして遠くを見ることから「よく見る・見守る」という意味をあらわした。

画数 9
オン カン
くん

木の形と、ものをのせる台の形。

ものをのせるための、木でつくった台ということで「つくえ」の意味をあらわした。

のび太くんの机は「タイムマシン」の入り口。

画数 6
オン （キ）
くん つくえ

がけの上から、人がのぞいている形と、人がひざをついている形。

人がひざをついているのは、ものを頼んでいる形。がけの上から「危ないから、戻ってくれ」と頼む形から「あぶない」をあらわした。

画数 6
オン キ
くん あぶない
　　（あやうい）
　　（あやぶむ）

6年【カ〜キ】

貴

人がこしに手を当てた形と、貝の形で「お金」のこと。

お金や財産を両手でかかえていることから「値打ちが高い・とうとい」の意味をあらわす。

貴重な恐竜のツメの化石だぞ。

画数 12
オン キ
くん (たっとい)(とうとい)(たっとぶ)(とうとぶ)

揮

手の形と、人が車をかこんでいる形で「軍隊」のこと。

軍隊を手を振ってしきすることから「さしずする・ふりまわす」などの意味をあらわす。

画数 12
オン キ
くん

吸

口の形と、人と右手で「後ろの人が前の人に追いつく」という意味。

空気が追いかけるように、口に次々と入ってくることで、「すう」の意味になった。

「口」のつく字をふたつ思い出せるかな？

画数 6
オン キュウ
くん すう

疑

人が立ち止まってキョロキョロ見回す形と、子どもの形と、足の形。

子どもが立ち止まってキョロキョロ見回すことで「まよう・うたがう」の意味をあらわした。

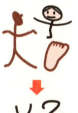

「ギシンアンキ」を飲むと人を疑うようになる。本当にドラえもんか？

画数 14
オン ギ
くん うたがう

6年【キ〜キ】

(247) 【答え】味、呼、唱など。

肉の形と、人がかごをかかえている形。

心臓や肺をかかえるように包んでいる場所ということで「むね」の意味をあらわした。(また、胸には心臓があるので「こころ」という意味もある。)

胸

画数 10
オン キョウ
くん むね
 (*むな)

人と、品物を両手でかかげている形。

人がものをうやうやしくささげること。

供

画数 8
オン キョウ・(*ク)
くん そなえる
 とも

「黄と土」でねんどのことと、うでの力こぶの形。

ねんどを力いっぱいこねて仕事をすることから「はたらく・精を出す・つとめる」という意味をあらわす。

「黄」も見よう。
59ページ

勤

画数 12
オン キン・(*ゴン)
くん つとめる
 つとまる

領地と人の形で「村」のこと、ふたつの村と、太陽が歩く形。

村と村との間が、太陽が出てからしずむまでくらい、ほど遠いということで「さと・ふるさと・村の集まり」の意味をあらわす。

郷

画数 11
オン キョウ・(ゴウ)
くん

6年【キ〜キ】

(248)

6年【キ〜ケ】

ものをつまむ指先の形と、糸たばの形。

手で糸たばをぶらさげている形で「つながる」の意味をあらわした。

 おじいちゃん
 パパ
 のび太

系

- 画数 7
- オン ケイ
- くん

竹の葉の形で竹のことと、肉の形と、力こぶの形。

竹のようにピンと張った筋のことから「からだのすじ・細長い線」などの意味になった。

【背筋】読み方で意味がかわるよ。(せすじ、はいきん)

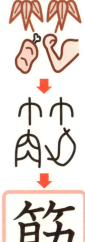

筋

- 画数 12
- オン キン
- くん すじ

ヒツジのつのと、人が口をかかえこむ形と、手にむちを持った形と、「言」。

むちで打たれたヒツジのように、言葉で注意してハッと身を引きしめさせることから「用心する・気をつける」の意味をあらわした。

「言」も見よう。55ページ

警

- 画数 19
- オン ケイ
- くん

ヒツジのつのと、口をかかえこむ人と、手にむちを持った形。

むちで打たれたヒツジのように、口をつぐみ、からだを深く曲げておじぎをするようすから「うやまう」の意味をあらわした。

敬老の日って、いつだか知ってる?

敬

- 画数 12
- オン ケイ
- くん うやまう

(249)

水の形と、白い光の形と船の形とムチを持った手の形で「四方に飛びちる」こと。

水が四方に飛びちっていることから「はげしい」の意味をあらわした。

【感激】
はげしく心がゆさぶられること。

画数 16
オン ゲキ
くん はげしい

トラの形と、イノシシの形と、刀の形。

トラ・イノシシ・刀で、けものどうしが争っているような「はげしい」ことをあらわし、後に、はげしい動きやストーリーのある「おしばい」のこともあらわすようになった。

【観劇】
しばいを見ること。

画数 15
オン ゲキ
くん

糸をたばねた形と、丸い形と、肉の形。

丸い形と肉でカイコの丸まった形をあらわし、カイコのまゆからできる糸ということで「きぬいと」の意味をあらわす。

絹はシルクとも言うよ。

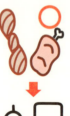

画数 13
オン （ケン）
くん きぬ

穴の入り口の形。

岩をほって開けた横穴の入り口の形から「あな」の意味をあらわした。

【ことわざ】
虎穴に入らずんば、虎児を得ず。〈危険をおかさないと大きな成果は得られない〉

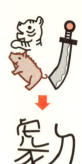

画数 5
オン （ケツ）
くん あな

6年【ケ〜ケ】

(250)

ぼうしと目の形と、心臓の形で「こころ」のこと。

人の目や心におおいをかぶせて、勝手な行いをさせないようにすることから「元になる決まり・おきて」をあらわす。

日本国憲法は、103条まであるよ。

画数 16
オン ケン
くん

木の形とすばしっこい鳥の形。

鳥が木にとまって、自分を目立たせようとさえずっていることから「ものごとを自分の思い通りにすることができる力」の意味をあらわした。

サッカーやるよな。
う、うん。

画数 15
オン ケン・(*ゴン)
くん

6年【ケ〜ケ】

口がふたつと、がけの形と、手と耳とむちを持った手の形。

敵は、手と耳とむちを持った形で「わざわざ」の意味。がけに立っている人に「危ない」とわざわざ口うるさくいうことから「きびしい」という意味をあらわす。

画数 17
オン ゲン・(*ゴン)
くん きび**しい**
（おご**そか**）

水の形と、がけと、泉の形。

がけ下の泉にさらに水の字をつけて、水が出るもと「みなもと・ものごとの始まり」の意味をあらわした。

わたしの名字ね。「源」静香。

画数 13
オン ゲン
くん みなもと

(251)

口の形と、さえぎられていたものが押し広げられた形。

口から息をはき出すことから、大声を出して「息をはく・さけぶ」という意味になった。

画数 8
オン コ
くん よぶ

↓

↓
呼

ひれふしている人の形。

相手に対してこしを低くしている形から「おのれ・われ・自分」の意味をあらわした。

画数 3
オン コ・(キ)
くん (おのれ)

反対向きの人の形で後ろのことと、口の形で命令すること。

命令を下す君主の後ろにいる人で、「きさき・のち」の意味になった。

【皇后】王や天皇の妻のこと。
おきさきさま。
【皇太子】王や天皇の位をつぐ人。

画数 6
オン コウ
くん

↓
后

「言」と、さけびながら首を振って、おどりまわる形。

おどりまわっているときに言ったことは、正常ではないので「まちがっている」という意味をあらわす。

「言」も見よう。
55ページ

画数 14
オン ゴ
くん あやまる

↓

↓
誤

6年 [コ〜コ]

(252)

光る玉のかざりをつけたおのの形。

王の意味をあらわすおのに宝石のかざりをつけて、王よりもえらい人のことで「皇帝」の意味をあらわす。

「王・父・士」も見よう。

画数 9
オン コウ・オウ
くん

↓

↓
皇

つえをついた年よりと、子どもの形。

子どもが年よりをせおっている形から「父母を大切にする」という意味。

肩をたたいてあげる。

画数 7
オン コウ
くん

↓
孝

6年 [コ〜コ]

がけの断層の形で「つみ上げた土」のことと、両足がこちらに向かってくる形。

山からこちらに降りてくることで「おりる・下る」の意味をあらわした。

成績が下降している。

画数 10
オン コウ
くん おりる
おろす
ふる

↓

↓
降

糸をたばねた形と、ものさしの形で「工」。

「工」という字が赤いという意味と同じ音だったので、糸を赤くそめる染料「紅」のことから「赤色」のことをあらわす。

画数 9
オン コウ・(*ク)
くん べに
（くれない）

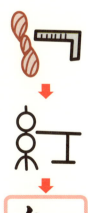
↓
紅

(253)

イノシシの形と、刀の形。

イノシシのかたいほねを刀でほることで「ほりつける・きざむ」の意味をあらわす。

画数 8
オン コク
くん きざむ

山に黄金がまじっている形で「金属」のことと、「剛」という字の略でかたいこと。

山から出た鉱物をきたえて、かたくじょうぶにした金属「はがね」の意味をあらわした。

はがねとは、鉄を主成分にした合金のこと。おもに刃物に使われたので「刃金」から「はがね」という言葉になった。

画数 16
オン コウ
くん (はがね)

関節のあるほねの形と、肉の形。

からだを支える「ほね」の意味をあらわす。

画数 10
オン コツ
くん ほね

イネのほがたれている形と、小屋の中のかたいものの形とほこを持った手の形でたたいてもこわれないぐらい「かたい」こと。

かたいからをかぶったイネの実のことで「こく物」の意味をあらわした。

画数 14
オン コク
くん

6年 [コ〜コ]

石の形と、小さいものをさらにわけた形で「小さくなる」こと。

石が小さくなったもののことで「すな」をあらわした。

- 画数 9
- オン サ・(シャ)
- くん すな

かこいの形と、木の形。

やしきの中に大木がしげってじゃまなので困ったものだということから「こまる」の意味をあらわした。

- 画数 7
- オン コン
- くん こまる

水の形と、水門の形。

田に引く水の量を調節する水門のことから「助ける」の意味になり、「しあげる・すます・すむ」の意味でも使われるようになった。

6年 [コ〜サ]

- 画数 11
- オン サイ
- くん すむ / すます

一方をがけに寄りかからせた家の形と、人が向かいあって座っている形。

家の中で人が座っている形で、「すわる・すわる場所」の意味になった。

- 画数 10
- オン ザ
- くん (すわる)

(255)

策

竹の形と、とげのある木の枝の形。

ウマを打つむちのことだったのが、むち打つようにいっしょうけんめい「考えをめぐらす」の意味になり「はかりごと」の意味もあらわす。

画数 12
オン サク
くん

裁

芽が出た形と、ほこの形と、着物のえりの形で「ころも」のこと。

芽がのびるのを断ち切るように、布を切ることから「切る・さいほう・ものごとをさばく」の意味をあらわす。

【裁縫】布を切ったりぬったりすること。

画数 12
オン サイ
くん さばく(たつ)

蚕

人の上に空をかいた形で「天」と、マムシの形で「虫」のこと。

きちょうな絹糸がとれるので、天から授かった虫という意味で「かいこ」をあらわした。

明治時代につくられ、蚕から糸をつくっていた富岡製糸工場、史跡として2014年に世界遺産に登録されたよ。

画数 10
オン サン
くん かいこ

冊

竹や木の札に字を書いてひもでつなげたものの形。

昔は竹や木の札に字を書いてひもでつなぎ、本の代わりにしたので「書物」の意味になり、さらに一冊、二冊と「書物を数える言葉」になった。

読めるかな?「短冊」

画数 5
オン サツ・(サク)
くん

6年【サ〜サ】

【答え】短冊→たんざく

6年 【シ〜シ】

イネのほがたれている形と、うででかかえこむ形。

イネをうででかかえこんで自分だけのものにすることから「わたくし・自分」の意味をあらわした。

「私」の反対語は？
57ページ

画数 7
オン シ
くん わたくし
わたし

鳥が空から飛んできて地面に着いた形。

どこからか飛んできた鳥が地上に着いたことから「行きつく・いたる」の意味をあらわした。

しっかり勉強しないと行きつく先はまっ暗だぞ。

画数 6
オン シ
くん いたる

神をまつるときにつかう台と、「見」(28ページ)。

神におそなえをして、目を見開らいて真剣にお祈りする姿から「見る・気をつけて見る」。

【反対語】
近視 ↔ 遠視

画数 11
オン シ
くん

「もとで」の意味の「資」を略した形と、女の人の形。

女の人にとって大事な容姿という意味から「すがた・形」の意味をあらわした。

画数 9
オン シ
くん すがた

(257)

「言」と、足と心臓で「心の動き」のこと。

心の動きなど大事なことを書き記しておくことから「記す・書きつける」の意味をあらわす。

「言」も見よう。55ページ

画数 14
オン シ
くん

「言」と、手をさし出して君主を手伝う人と口の形。

君主の言葉を伝えることで「言葉・詩や文の言葉」の意味をあらわした。

「言」も見よう。55ページ

画数 12
オン シ
くん

弓に矢をつがえて手で引いている形。

手で弓に矢をつがえて射る形から「いる・うつ」ことをあらわした。

「キューピッドの矢を当てると好きになってくれるんだ。」

画数 10
オン シャ
くん いる

石の形と、黒くそめた糸たばをくっつけてほしている形。

真っ黒な石が、くっつきあってつながることから「じしゃく」をあらわした。

画数 14
オン ジ
くん

6年【シ〜シ】

(258)

6年 [シ〜シ]

親指と中指を広げた形。

むかし、親指と中指を広げたときの長さを「一尺」という単位にしたので「しゃく・長さ」の意味になった。

【しゃくとりむし】
尺取虫

↓

↓

画数 4
オン シャク
くん

手の形と、あずまやの形で「からだを休める」こと。

手をゆるめて休めると、持っていたものがはなれることから「すてる」の意味をあらわした。

【反対語】
捨てる ↔ 拾う

↓

↓

画数 11
オン シャ
くん すてる

木の形と、台の上においたたいこをたたく形。

たいこの音に合わせてからだをゆり動かす人のように、木が風にゆれながら立っている姿から「立ち木」のこと。

樹れい千年の杉。

↓

↓

画数 16
オン ジュ
くん

草の生えている形と、右手と口の形で「右」

芽が出て間もない若草を手でつんで食べることから「わかい」の意味をあらわした。

「右」も見よう。
24ページ

画数 8
オン (ジャク)・(*ニャク)
くん わかい
（もしくは）

(259)

宗

家のやねの形と、神をまつる祭だんの形。

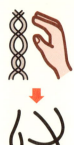

神をまつる祭だんがある家のことから「家元・神や仏の教え」の意味をあらわした。

世界の三大宗教とは？

画数 8
オン シュウ・(ソウ)
くん

【答え】キリスト教、イスラム教、仏教

収

ひもをより合わせた形で「まとめる」ことと、右手の形。

手でなわをよりあわせるように、バラバラのものをひとつにまとめることから「おさめる・とりいれる」の意味をあらわした。

「いっぱい収かくできたわ。」

画数 4
オン シュウ
くん おさめる おさまる

衆

飛び出した目玉と、人が3人で大ぜいの人のこと。

大ぜいの人の目で、「多くの人・多い」をあらわした。

【大衆】社会の大多数の人。
【群衆】むらがっている大ぜいの人。

画数 12
オン シュウ・(*シュ)
くん

就

丘の上のりっぱなたてものの形と、右手の形と「一」で手招きをすること。

人を招きよせ、住みつかせることから、場所や役に「つく」という意味をあらわした。

【就職】職（しごと）につくこと。

画数 12
オン シュウ・(*ジュ)
くん (つく)(つける)

6年【シ〜シ】

(260)

糸をたばねた形と、十字路の半分の形と、人が並んでいる形と、足の形。	
何人もの人が並んで歩いている形と、はたおり機に糸をたてにかけることから「たて」の意味をあらわす。	
画数 16 オン ジュウ くん たて	縦

十字路の半分の形と足の形で「歩く」ことと、人が並んでいる形の「並」を省略した形。	
前の人の後ろに従って歩くことから「したがう・したがう人」の意味をあらわした。	
画数 10 オン ジュウ・(*ショウ)(*ジュ) くん したがう したがえる	従

6年 [シ〜シ]

高いたてものの形と人が手をのばした形で「神にそなえる」ことと、火がもえている形。	
食べものをにて料理して神にそなえることから「よくにえる・十分によくする・うれる」の意味をあらわす。	

画数 15 オン ジュク くん (うれる)	熟

糸をたばねた形と、やねと人としきものの形で「宿」。	
宿屋に多くの人をとめるように、糸をぎゅっとたばねることから「ちぢめる」の意味をあらわす。	
「宿」も見よう。109ページ	
画数 17 オン シュク くん ちぢむ ちぢまる ちぢめる ちぢれる	

(261)

処

さかさまの足の形と、こしかけの形。

こちらに向かって歩いてきた人が立ち止まり、座って休めるところのことから「ところ・場所」の意味をあらわす。

画数 5
オン ショ
くん

純

糸をたばねた形と、種が芽を出した形。

芽が出たということは種をまいたことにまちがいないということ、まちがいなく純粋なカイコの糸だということから「まじりけがない・うそがない」の意味をあらわした。

画数 10
オン ジュン
くん

諸

「言」と、かまどでこく物をにている形。

かまどでにるこく物を仕分けることから、種類の多いことをあらわし「いろいろな」という意味になった。

「言」も見よう。
55ページ

画数 15
オン ショ
くん

署

魚や鳥をとるあみの形と、かまどでいろいろなこく物をにている形で「者」。

あみは「集める」という意味、人々(者)を集めて仕事をさせる場所ということで「役所・人を配置した場所」の意味をあらわす。

【署】を使う
場所 警察署・消防署・税務署

画数 13
オン ショ
くん

6年【シ〜シ】

(262)

6年【シ〜シ】

将

木をたてにわった台の形と、肉をささげ持つ手の形。

神をまつる台に肉をささげることで、それをするのは一族の長であることから「率いる人」などの意味になった。

画数 10
オン ショウ
くん

除

がけの断層の形で「つみ上げた土」のことと、小屋とわけるしるしで「余」。

つみ上げた土が余っているのでそれを取りのぞくことから「すてる・取りさる」の意味をあらわす。

「余」も見よう。236ページ

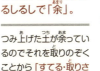

画数 10
オン ジョ・(*ジ)
くん のぞく

障

がけの断層の形で「つみ上げた土」のことと、「音」と「十」で「きわだつ」こと。

がけがきわだってそびえ、さえぎられていることから「しきる・さまたげる・じゃまになる」の意味をあらわす。

まんがは勉強のさまたげです。

画数 14
オン ショウ
くん (さわる)

傷

人と、矢でできた傷をあらわす「𥏉」という字が変わったもの。

人が傷つくことで「きず」をあらわした。

もっと深いきずを「創」という。268ページ

画数 13
オン ショウ
くん きず
(いたむ)
(いためる)

草の生えている形と、ひざまずいている人と両手と火の形で「湯気がたちのぼる」こと。

火でお湯をわかし、湯気で草木の芽に熱を通すことで「むす」の意味をあらわした。

画数 13
オン ジョウ
くん （むす）
　　（むれる）
　　（むらす）

木や草が芽を出している地面の形で「土」と、おのの形と、うつわから中の水がこぼれている形で「成」。

土をかためてでき上がった城のかべのことから「しろ・とりで」の意味をあらわす。

「成」も見よう。
166ページ

画数 9
オン ジョウ
くん しろ

人と、数字の二を表す形。

ふたりの人がおたがいを思いやるという意味から「思いやりの心」の意味をあらわした。

読めるかな？
「医は仁術」

画数 4
オン ジン・(*ニ)
くん

山に黄金がまじっている形で「金属」のことと、針の形。

金属でつくった細い針の形で「はり」の意味をあらわす。

画数 10
オン シン
くん はり

6年【シ〜シ】

【答え】医は仁術→いは じんじゅつ

(264)

手の形と、しっぽの短い鳥の形。

手で鳥を追いはらう姿から「おしすすめる」の意味をあらわした。

「クラス委員に出木杉さんを推せんします。」

- 画数 11
- オン スイ
- くん （おす）

→ 推

花や葉っぱがたれている形。

草木が垂れ下がっている形で「たれ下がる」の意味をあらわした。

垂直とび。

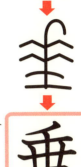

- 画数 8
- オン スイ
- くん たれる／たらす

→ 垂

おのの形と、うつわからあふれる出る形で「成」と、皿の形。

でき上がった食べものをうつわにいっぱいにもることから「もり上げる・さかん」の意味をあらわす。

「成」も見よう。166ページ

- 画数 11
- オン （セイ）・（*ジョウ）
- くん もる／（さかる）／（さかん）

→ 盛

右手の形と、一のしるしで指1本のこと。

大昔の長さの単位で指1本のはばを「一寸」といったことから「すん・ちょっと・長さ」の意味をあらわした。

一寸法師は、身長が3センチぐらい。

- 画数 3
- オン スン
- くん

→ 寸

6年 [ス〜セ]

(265)

誠

「言」と、おのと、うつわから水があふれている形で「つくっているものが完成する」こと。

ことばと行いがぴったりと合うことで「まごころ・うそのないこころ」の意味をあらわす。

「言」も見よう。166ページ
「成」も見てみよう。55ページ

画数 13
オン セイ
くん （まこと）

聖

耳の形と、口の形と、にもつをせおってつとめを果たす人の形。

人の言うことを聞いてさとり、そのつとめを果たせる人のことから「すぐれた人」の意味になった。

聖火ランナー。

画数 13
オン セイ
くん

専

糸まきのような子どものおもちゃの形と、手の形と、一のしるし。

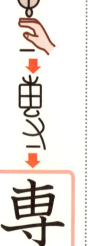

子どもがおもちゃを持ってなかなかはなさないことから「ひとりじめにする・もっぱら」の意味をあらわした。

画数 9
オン セン
くん （もっぱら）

宣

家のやねの形と、ろうかをぐるぐる回るしるし。

長いろうかを通った奥に天子がおおせを下す大広間があったことから「神や天子の言葉・広める」の意味をあらわした。

ぼくは宣言する。今度のテストでいい点をとるぞ。

画数 9
オン セン
くん

6年【せ〜せ】

6年【セ〜セ】

洗

水の形と、足と足先の形。

からだを洗うときは足さきから洗うので「あらう・きれいにする」の意味をあらわす。

「先」も見よう。36ページ

→
→ 洗

- 画数 9
- オン セン
- くん あら**う**

泉

岩の奥の穴から水がわき出ている形。

泉がわき出ている形から「いずみ」をあらわした。

- 画数 9
- オン セン
- くん いずみ

善

ヒツジの顔の形と、「言」。

ヒツジのようにおとなしく美しい言葉ということから「よい」の意味をあらわした。

「言」も見よう。55ページ

- 画数 12
- オン ゼン
- くん よい

染

汁の中に何度もつけることと、木の形。

布を木や草の汁に何度も何度もつけることから「そめる・うつる」の意味をあらわした。

- 画数 9
- オン (セン)
- くん そ**める** そ**まる** (し**みる**) (しみ)

(267)

ほら穴の形と、心臓の形。

天井に開いている大きな天まどのことから「まど」の意味になった。

画数 11
オン ソウ
くん まど

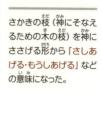

さかきの小枝を両手で持っている形。

さかきの枝(神にそなえるための木の枝)を神にささげる形から「さしあげる・もうしあげる」などの意味になった。

画数 9
オン ソウ
くん (かなでる)

ベッドをたてにした形と、おのをたてに置いた形で「りっぱな男」のことと、着物のえりの形で「ころも」のことと。

背の高いすらりとした男性が着物を着て身じたくすることで「よそおう・かざる」という意味をあらわす。

衣がついている字を探そう。
製裁

画数 12
オン ソウ・(ショウ)
くん (よそおう)

こく物などを入れておく倉の形と、刀の形。

倉からこく物などを取り出し、刃物で料理を始めるということで「つくる・始める」の意味をあらわす。

キズの意味もあるよ。
ばん創こう。

画数 12
オン ソウ
くん つくる

6年【ソ〜ソ】

(268)

操

手の形と、木の枝で鳥がさえずっている形。

木の上でやかましくさえずっている鳥を手で押さえ静めることから「思い通りに動かす・あやつる」の意味をあらわした。

- 画数 16
- オン ソウ
- くん (あやつる)(みさお)

層

一方をがけに寄りかからせた家の形と、かさなったセイロウ（蒸し器）の形。

屋根の下で何層にもかさなったたてもののことで「かさなり」の意味をあらわす。

- 画数 14
- オン ソウ
- くん

臓

肉の形と、しげった草と目を向いた形で、大事なものをしまう「蔵」。

からだの中で大事なものをしまう場所ということから「はらわた・器官」という意味をあらわす。

「蔵」も見よう。(→右)

- 画数 19
- オン ゾウ
- くん

蔵

草がボウボウしげっている形と、目玉を向いている形で「見張る」こと。

ものを草でおおってかくし、見張っておくことで「くら・たくわえておく」の意味をあらわした。

「臓」も見よう。(←左)

- 画数 15
- オン ゾウ
- くん (くら)

6年【ソ～ソ】

酒のつぼを両手でささげ持つ形。

神にそなえる酒のことから「とうとい・大切」の意味になった。

画数 12
オン ソン
くん たっとい / とうとい / たっとぶ / とうとぶ

土の中に根がはっている形と、子どもの形。

土の中にはった根は、芽を出して、子どものようにすくすくと育つもとになる。そこから「ある・いる・たもっている」の意味になった。

画数 6
オン ソン・ゾン
くん

手の形と、にもつを肩にのせた形。

にもつを手で持ち上げて、肩にのせることから「になう・引き受ける」意味になった。

画数 8
オン タン
くん （かつぐ）／（になう）

家のやねの形と、植物の芽が出て根づくこと。

家の中にじっとって住まうことで「住まい・やしき」の意味をあらわした。

【在宅】家にいること。

画数 6
オン タク
くん

6年【ソ〜タ】

「言」と、道をのばした形と足で「引きのばす」こと。

事実を引きのばし大げさに言うことだったが、似た音の「旦（新しい日が生まれる）」の代わりに使われ「生まれる」の意味とした。

↓

↓

「言」も見よう。55ページ

- 画数 15
- オン タン
- くん

手の形と、かまどの口と、火と手を組み合わせた形。

かまどの中に残っている火を手でかき出すことから「さぐる・さがしもとめる」の意味をあらわした。

↓

↓
探

ぼくの推理で探し物を見つけるよ。
骨川スネ夫 探てい事む所

- 画数 11
- オン タン
- くん さがす（さぐる）

太陽の形と、両手でものを引っぱっている形で「ゆるむ」こと。

ふくろの口を引っぱるとゆるむように、太陽が出て寒さがゆるんでくることから「あたたかい」の意味をあらわした。

↓

↓
暖

「温」とはどう違うのかな？92ページ

6年【タ～タ】

- 画数 13
- オン ダン
- くん あたたか
  あたたかい
  あたたまる
  あたためる

石をかさねた形で「階段」のことと、ほこを手に持った形。

人々をはたらかせて石をつむ形で「かいだん」をあらわした。

↓

↓
段

どこまであるんだ。

- 画数 9
- オン ダン
- くん

(271)

家のやねの形と、枝にたれ下がっている木の実の形。

ものがぶら下がっている空間ということから「空中」の意味をあらわした。

なんて読む？
「宇宙」

画数 8
オン チュウ
くん

【答え】宇宙→うちゅう

↓

↓
宙

人と、十人の目と、にげるしるし。

直は、大ぜいの目で見れば悪いことができないことから、きちんとしていること。きちんと価値を見きわめることで「あたい・ねうち」のこと。

値打ちのあるつぼなんだぞ。

画数 10
オン チ
くん ね・（あたい）

↓
値

草の生えている形と、かまどでいろいろなこく物をにている形。

こく物をまぜてにるように、文字をまぜて文書をつくり、書き残すことから「本に書く」の意味になった。

画数 11
オン チョ
くん （あらわす）（いちじるしい）

↓

↓
著

コマの真ん中を心ぼうが通っている形と、心臓の形で「こころ」のこと。

どちらにもかたよらず、いつわりのない誠の心のことで「まごころ・誠」の意味をあらわす。

勉強しろと忠告したのにしないからだよ。

画数 8
オン チュウ
くん

↓

↓
忠

6年【チ〜チ】

(272)

一方をがけに寄りかからせた家の形と、ものがあふれる形。

あふれるほどたくさんの人の訴えを聞くところで「役所」の意味をあらわした。

「庁」がつく場所
警視庁・検察庁・消防庁・特許庁・気象庁

画数 11
オン チョウ
くん

ものがあふれる形と、あたまの形。

あたまのいちばんもり上がったところのことから「いただき・いちばん高いところ」の意味をあらわした。

画数 11
オン チョウ
くん いただく
　　 いただき

水の形と、「朝」。

潮の満ち干は1日に2回起こるが、朝起こる海の満ち引きのことで「海水の満ち干」をあらわした。

朝の満ち干を「潮」。夕方の満ち干を「汐」というよ。

画数 15
オン チョウ
くん しお

人と、にもつをせおう形で「任」（228ページ）と、貝の形で「お金」のこと。

仕事をさせる代わりにしはらうお金のことから「仕事の代金」の意味をあらわした。

はい、おだちん。

6年【チ〜チ】

画数 13
オン チン
くん

(273)

人が横たわっている形と、着物を着ている形。

人が着物をきて横になると、着物が乱れて広がることから「広がる・のびる」をあらわした。

【美術展】絵などの美術品を広く見せること。

画数 10
オン テン
くん

病気で人がねている形と、人が板にくぎをさしている形。

病気になった人が、くぎにさされたように痛がることから「いたむ・悲しむ」の意味。

画数 12
オン ツウ
くん いたい / いたむ / いためる

家のまどからけむりが出ている形と、歩いている足の形。

ひとつの家でいっしょに生活している人たちということから「仲間・集団」の意味になった。

画数 10
オン トウ
くん

「言」と、手首につけたしるしの形で決まりのこと。

「寸」は長さの基準で法律の意味。法にしたがって、言葉でたずね調べることで「不正をうちせめる」の意味になった。

「言」も見よう。55ページ

画数 10
オン トウ
くん (うつ)

6年 [ツ〜ト]

(274)

人が横たわっている形と、果物の形。

病気で横になっている人に果物を持っていくことから「とどける」という意味をあらわす。

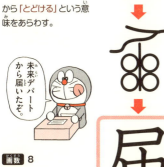

画数 8
オン
くん とどける とどく

イネのほの形と、家の中でものをにている形。

サトウキビなどからとったあまい汁をにつめて作るもののことから「あめ・さとう」の意味をあらわした。

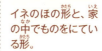

画数 16
オン トウ
くん

ものをつまむ手の形と、子どもと、おかあさんのお乳の形。

おかあさんが子どもをだいてお乳を飲ませるようすから「ちち」の意味。

6年 【ト〜ニ】

画数 8
オン ニュウ
くん ちち (ち)

「黄と土」でねんどのことと、尾の短い鳥の形。

ねん土もすばしっこい小鳥もあつかいにくいことから「むずかしい」の意味をあらわした。

「黄」も見よう。 59ページ

画数 18
オン ナン
くん むずかしい (かたい)

(275)

納

糸をたばねた形と、家の入り口の形。

そめてかわかした糸を家の中にしまうことから「おさめる・入れる」の意味をあらわす。

読めるかな？
「納豆」

画数 10
オン ノウ・(*ナッ)・(*トウ)・(*ナ)・(*ナン)
くん おさめる おさまる

【答え】納豆→なっとう

認

「言」と、刀の刃と心臓の形。

人の言葉や行いを心にしっかりきざみつけることから「みとめる・許す」の意味になった。

「言」も見よう。
55ページ

画数 14
オン (ニン)
くん みとめる

派

水の形と、大きな川からわかれた支流の形。

川の本流からわかれた支流のことで「わかれる」の意味をあらわす。

画数 9
オン ハ
くん

脳

肉の形で「からだ」のことと、脳の形。

からだの器官ということと、脳の形で「あたまの中ののう」をあらわした。

画数 11
オン ノウ
くん

6年 [ニ〜ハ]

人が背中合わせに立っている形と、肉の形で「からだ」のこと。

からだの後ろがわ「せなか」の意味をあらわす。

背

画数 9
オン ハイ
くん せい
（そむく）
（そむける）

手の形と、手をふたつ並べた形。

手を合わせる形から、「おがむ・おじぎをする」の意味をあらわす。

ささやかな望みならかなえてくれる「神さまごっこ」。

拝

画数 8
オン ハイ
くん おがむ

6年【ハ～ハ】

人と、飛ぶ鳥の羽がふつうと反対に向いている形で「ふつうでない」こと。

人前で、ふつうではない変わった芸を見せることから「役者・俳優」の意味になった。

これって何する人だ？
「俳優」「俳人」

俳

画数 10
オン ハイ
くん

肉の形と、草の芽の形と、わけるしるし。

人やものが出入りする市場のように、息が出たり入ったりするからだの器官ということで「はい」をあらわした。

肺

画数 9
オン ハイ
くん

(277)【答え】役者さん、俳句をよむ人

太陽の形と、ウサギの形。

月にウサギがいると考えられていたので、日がしずんで月が出てくるころ、「ばん」の意味をあらわした。

画数 12
オン バン
くん

宝石をつないだ形がふたつと、刀の形。

玉かざりを刀でふたつに切ってわけることで、たくさんの玉をいくつかにわけたそれぞれのことから「はん・グループ」の意味をあらわす。

画数 10
オン ハン
くん

手の形と、人がふたり並んだ形で「比べる」こと。

手でものを並べて比べることから「よいかわるいかを決める」という意味をあらわす。

画数 7
オン ヒ
くん

鳥が天に向かって飛びさる形と、口の形。

飛びさった鳥をよんでも、帰ってこないということから、「〜でない・反対・打ち消すこと」の意味をあらわした。

画数 7
オン ヒ
くん (いな)

6年【ハ〜ヒ】

(278)

肉の形と、階段と足の形で「かさなる・くり返す」のこと。

うねうねとかさなっている腸があるからだの場所ということで「はら・おなか」の意味をあらわす。

【反対語】
腹 ↔ 背

画数 13
オン フク
くん はら

イネの形と、くいを立てて境をつくった形と、わけるしるし。

境を作り、大切にこく物をしまっておくことから、「かくす・知りえない」の意味をあらわす。

0点のテスト、かくすしかない。

画数 10
オン ヒ
くん （ひめる）

6年 [ヒ〜ヘ]

ふたりの人が立っている形。

ふたりの人が並んで立っている形から「ならぶ」の意味をあらわした。

【反対語】
並列 ↔ 直列

画数 8
オン （ヘイ）
くん なみ
　　 ならべる
　　 ならぶ
　　 ならびに

人の前向きの形と、鳥の形と、田んぼの形。

田んぼにいた鳥が大きくはばたいて飛び立つようすから「ふるい立つ・元気を出す」の意味をあらわした。

今度こそがんばるぞ。

画数 16
オン フン
くん ふるう

門の形と、たてよこにさしこむ木でかんぬきの形。

門にかんぬきをさしてとびらが開かないようにすることから「しめる」の意味をあらわす。

【反対語】
閉じる↔開く

画数 11
オン ヘイ
くん とじる
　　しめる
　　しまる
　　（とざす）

がけの断層の形で「つみ上げた土」のことと、ふたりが並んだ形と、土で「階段」のこと。

高いところにのぼる階段のことから「王宮の階段」の意味になり、「天子に関係する言葉」として使われる。

陛下という使い方がほとんど。中国では天子のこと。日本では天皇・皇后などにつけて敬う言葉だ。

画数 10
オン ヘイ
くん

着物のえりの形で「ころも」のことと、おのを手に持った形と、「用」（84ページ）。

道具を用いて破れた着物をつくろい直すことから「たりないところをつけたす・おぎなう」の意味をあらわす。

画数 12
オン ホ
くん おぎなう

木をたてに切りわけた右がわの形。

半分に切った木から「ふたつのうちの一方・完全でない」の意味をあらわした。

画数 4
オン （ヘン）
くん かた

6年【ヘ〜ホ】

家のやねの形と、宝石をひもでつないだ形。

家の中に大切にしまわれた宝もののことで「たから」の意味をあらわした。

「宝さがし機」で宝をさがそう。

画数 8
オン ホウ
くん たから

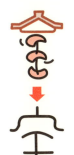

草の間にしずむ太陽の形と、もうひとつ太陽の形をつけたしたもの。

太陽が草の中に見えなくなることで「くれる」の意味をあらわした。

莫がもともと「暮れる」という意味だったのが「ない」という意味になってしまったので、「暮れ」という字が作られた。

画数 14
オン (ボ)
くん くれる
　　 くらす

人がものかげにかくれている形。

人が死んだとき、そのなきがらを目につかないように埋葬したことから「ない・なくなる」の意味をあらわした。

「亡」が入っている字を探そう。
忘・望

画数 3
オン ボウ・(*モウ)
くん (ない)

「言」と、ふたつの船のへさきをつないだ形。

ふたりで語り合うため、相手のところへ出かけて行くことから「人をたずねる・おとずれる」の意味をあらわす。

「言」も見よう。
55ページ

画数 11
オン ホウ
くん たずねる
　　 (おとずれる)

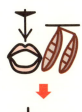

6年
【ホ〜ホ】

(281)

木の形と、木の枝を大ぜいの手が持つ形。

神にささげる木の小枝から「木のぼう」をあらわし、そこから「ぼうの形をしたもの」をあらわすようになった。

↓

↓
棒

画数 12
オン ボウ
くん

人がものかげにかくれている形と、心臓の形で「こころ」のこと。

人がかくれて見えなくなるように、心の中の記憶がなくなることで「わすれる」の意味をあらわす。

「亡」も見てみよう。281ページ

↓

↓
忘

画数 7
オン （ボウ）
くん わすれる

草の間に太陽がしずむ形と、布の形。

日が草の中にかくれて見えなくなるように、向こうがわを見えなくするための布のことで「まく」の意味をあらわす。

↓

↓
幕

画数 13
オン マク・バク
くん

木の形と、手にむちを持った形。

手に持ったむちはたたくこと、木をおのなどでたたいてうすくけずることで、紙などのうすいものを数えるときの単位「まい」をあらわした。

↓
枚

画数 8
オン マイ
くん

6年【ホ〜マ】

盟

まどと月の形で「明るくはっきりする」ことと、皿の形。

皿におそなえを入れて、神の前ではっきりとちかうことから「ちかう・ちかい」の意味をあらわす。

「明」も見よう。
82ページ

画数 13
オン メイ
くん

密

家のやねの形と、ぼうで家の戸を閉じる形と、山の形。

山奥のたてものをしっかり戸じまりした形で「ひっそりとひそかにする・すきまがない」という意味をあらわした。

画数 11
オン ミツ
くん

訳

「言」と、「駅」の略で、次から次へ伝えること。

ひとつの国の言葉を、別の国の言葉に直して、つぎからつぎへと伝えることから「つうやく」とか、「わけ」の意味になった。

「言」も見よう。
55ページ

画数 11
オン ヤク
くん わけ

模

木の形と、草の間に太陽がしずむ形で「見えなくなる」こと。

見えないので手探りすることや、木型で同じ形の土器を作ることから「まねてつくる・型・手本」の意味をあらわした。

画数 14
オン モ・ボ
くん

6年
[ミ〜ヤ]

(283)

人と、顔・心・足を合わせた形で「こころのあるふるまいのしとやかな人」のこと。

しとやかにふるまう人のことから「やさしい・上品・役者」などの意味をあらわす。

↓

↓
優

- 画数 17
- オン ユウ
- くん （やさしい）（すぐれる）

花や葉がたれ下がる形で「野原のある辺地」のことと、領地でひれふしている人の形で「村」のこと。

遠い国ざかいにある村のことで、手紙の中継所のことから「ゆうびん」をあらわした。

> 日本の郵便制度を作った人で切手のデザインにもなっている人 前島密（まえじまひそか）

郵

- 画数 11
- オン ユウ
- くん

山と山の間の水が流れるところ（谷）と、口を大きく開けている人の形。

のどがかわき、水がほしくて、谷間で大きく口を開けている形から「ほしがる・望む」をあらわす。

↓

↓
欲

- 画数 11
- オン ヨク
- くん （ほしい）（ほっする）

細い糸たばの形と、うでの力こぶの形で「力」。

「力」と「細い糸」で、とても弱く小さいことをあらわし「とても小さな子ども・おさない」の意味をあらわす。

↓

↓
幼

- 画数 5
- オン ヨウ
- くん おさない

6年［ユ〜ヨ］

(284)

6年【ヨ〜ラ】

乱

糸まきを両手で引っぱる形と、糸をたらした形。

昔は、「乱れた糸を両手でととのえる」ことだったのが「みだれている」の意味で使われるようになった。

- 画数 7
- オン ラン
- くん みだれる／みだす

翌

鳥の羽の形と、人が地面に立っている形。

明日の朝には鳥が飛び立つということで「あくるひ」の意味をあらわした。

- 画数 11
- オン ヨク
- くん

覧

目玉と皿を上からのぞく人の形、と「見」。

皿に水を入れ、自分の姿を見ることに、さらに「けん」をつけて「見る・見わたす」と意味を強めた。

- 画数 17
- オン ラン
- くん

卵

枝などについている動物の卵の形。

丸くつらなっている虫などの卵の形から、鳥や虫など、すべての「たまご」のことをあらわした。

- 画数 7
- オン （ラン）
- くん たまご

十字路の半分の形で「行く」ことと、筆を持った手の形。

筆で書かれた天下に行きわたるものということで「法律・決まり・おきて」という意味になった。

律

- 画数 9
- オン リツ・(*リチ)
- くん

すじめのもようのついた着物の形。

ころもの内がわにすじめもようのついた布を裏地として使ったことから「うら・内側」の意味をあらわす。

【反対語】
裏 ↔ 表

裏

- 画数 13
- オン (リ)
- くん うら

太陽が光を出しながら移動していく形と、月の形。

太陽が出る晴れた日のように、そして月がきよらかなように「明るい・ほがらか」だという意味をあらわした。

声を出して読むのは朗読。

朗

- 画数 10
- オン ロウ
- くん (ほがらか)

けらいを上から見下ろす形と、口が3つで大ぜいのこと。

大ぜいのけらいを身分の高い人が見下ろしていることで「見下ろす・のぞむ」の意味をあらわした。

臨

- 画数 18
- オン リン
- くん (のぞむ)

6年【リ〜ロ】

「言」と、集めるしるしと、短冊をつないだ形。

短冊を集めて整理するように、言葉を整理して「すじ道を立ててのべる」意味をあらわす。

「言」も見よう。55ページ

画数 15
オン ロン
くん

同音異字

同じ読みだけど、漢字が違うよ。

【問1】次の（　）内の「言葉」を漢字で書き直してね。

❶ いぬが（な）いたら、その声に驚いて赤んぼうが（な）いた。

❷ （のうふ）だって、もちろん所得税を（のうふ）する。

❸ 父は誕生日に自分の50年という（はんせい）を（はんせい）していた。

❹ 八時にここを（はっしゃ）すると、ロケットの（はっしゃ）に間に合うだろうか。

【問2】次の○○には全部、「せいか」という漢字が入ります。どんな漢字が入るかわかるかな？

❶ 努力の○○　❷ 有名な王女の○○
❸ ○○市場　❹ 床の間に○○をかざる
❺ ○○販売（値引きをしないこと）
❻ ○○隊
❼ オリンピックの○○（期間中つけておく火）

【答】問1…❶鳴・泣 ❷農夫・納付 ❸半生・反省 ❹発車・発射
問2…❶成果 ❷生家 ❸青果 ❹生花 ❺正価 ❻聖歌 ❼聖火

6年［ロ］

音訓さくいん

- 学習漢字のおもな読みを、音はカタカナ、訓はひらがなで示しました。この本で、はぶいた読みは入っていません。
- アイウエオ順にならべ、音・訓の順です。同じ読みの場合は、画数の少ない順です。
- 訓読みの赤字の部分は送りがなです。

【あ】

アイ	愛	140
あい	相	114
あいだ	間	50
あう	会	49
	合	59
あお	青	35
あおい	青	35
あか	赤	35
あかい	赤	35
あからむ	赤	35
あかり	明	82
あがる	挙	150
あかるい	明	82
あき	秋	64
あきなう	商	111
あきらか	明	82
アク	悪	88
あく	空	28
	開	93
あける	明	82
	空	28
	開	93
あげる	上	33
	挙	150
あさ	朝	73
あざ	字	31
あさい	浅	168
あし	足	37
あじ	味	131
あじわう	味	131
あずかる	預	237
あずける	預	237
あそぶ	遊	133
あたい	価	196
	値	272
あたたか	温	92
	暖	271
あたたかい	温	92
	暖	271
あたたまる	温	92
	暖	271
あたためる	温	92
	暖	271
あたま	頭	76
あたらしい	新	67
あたり	辺	181
あたる	当	75
アツ	圧	192
あつい	厚	206
	暑	110
	熱	177
あつまる	集	108
あつめる	集	108
あてる	当	75
あと	後	56
あな	穴	250
あに	兄	54
あね	姉	62
あばく	暴	235
あばれる	暴	235
あびせる	浴	186
あびる	浴	186
あぶない	危	246
あぶら	油	133
あま	天	39
	雨	24
あます	余	236
あまる	余	236
あむ	編	233
あめ	天	39
	雨	24
あやうい	危	246
あやつる	操	269
あやまる	謝	213
	誤	252
あやまち	過	196
あゆむ	歩	81
あらう	洗	169
あらそう	争	67
あらた	新	67
あらたまる	改	144
あらためる	改	144
あらわす	表	128
	著	272
あらわれる	表	128
	現	204

(288)

音訓さくいん

【い】

あらわれる	現	204
ある	在	209
あるく	有	133
あわす	合	81
あわせる	合	59
アン	安	59
	行	58
	案	140
	暗	88
イ	以	140
	衣	140
	位	141
	囲	141
	医	88
	委	89
	易	193
	胃	141
	異	242
	移	192
	意	89
	遺	242
い	言	55
いえ	家	48
いキ	域	242
いき	息	115
いきおい	勢	218
いくさ	戦	168
いく	行	58
イク	育	89
いきる	生	34
いけ	池	203
いさぎよい	潔	72
いさむ	勇	185
いし	石	35
いずみ	泉	267
いそぐ	急	95
いた	板	126
いただき	頂	273
いただく	頂	274
いたい	痛	274
いたむ	痛	263
いためる	傷	274
いたる	至	257
イチ	一	24
いち	市	61
いちじるしい	著	272
イツ	一	24
いつ	五	29
いつつ	五	29
いと	糸	31
いとなむ	営	193
いな	否	278

【う】

いぬ	犬	28
いのち	命	131
いま	今	60
いもうと	妹	82
いる	居	201
	入	40
	要	185
	射	258
いれる	入	40
いろ	色	163
いわ	岩	51
イン	引	46
	印	192
	因	141
	音	25
	員	89
	院	90
	飲	90
ウ	右	24
	宇	242
	有	133
	羽	46
	雨	24
う	初	163
うえ	上	33
うえる	植	112
うお	魚	53
うける	受	107
うけたまわる	承	215
うける	受	107
うごかす	動	123
うごく	動	123
うし	牛	52
うしなう	失	160
うしろ	後	162
うた	歌	56
うたう	歌	48
うたがう	疑	247
うち	内	77
うつ	討	274
	打	116
うつくしい	美	127
うつす	写	106
	映	243
	移	192
うつる	写	106
	映	243
	移	148
うつわ	器	159
うぶ	産	78
うま	馬	34
うまれる	生	159
	産	159

【え】

うみ	海	49
うむ	産	159
	生	249
うめ	梅	177
うやまう	敬	286
うら	裏	78
うる	売	176
うれる	得	78
	売	261
うわ	上	33
うわる	植	112
ウン	運	90
	雲	46
エ	会	49
	回	48
	絵	49
え	重	109
エイ	永	192
	泳	90
	英	142
	映	243
	栄	142
	営	193
	衛	193
エキ	役	132
	易	193
	益	193
オ	和	137
	小	88
	悪	33
おいる	老	189
オウ	王	25
	央	91
	応	194
	往	194
	皇	194
	桜	195
	黄	59
	横	91
おう	生	34
	追	120
おえる	終	?

【お】

えだ	枝	194
えむ	笑	211
えらぶ	選	164
える	得	168
エン	円	24
	延	243
	沿	243
	園	46
	遠	47
	塩	142
	演	194

(289)

おう	おえる	おお	おお	おおい	おおいに	おおきい	おおやけ	おかす	おがむ	おぎなう	おきる	オク	おく	おくる	おくれる	おこす	おこなう	おごそか	おこる	おさない	おさまる	おさめる
負	終	大	多	大	大	大	公	犯	拝	補	起	屋	億	置	送	後	起	興	厳	行	起	興	幼	収	治	修	納	収
129	108	37	70	37	37	57	229	277	280	94	91	172	142	115	56	94	207	251	58	94	207	284	161	214	276	260

おしえる	おす	おそわる	おちる	おっと	おとこ	おとうと	おとずれる	おなじ	おのおの	おのれ	おび	おびる	おぼえる	おも	おもい	おもう	おもて	おや	およぐ	おり
治	修	納	教	推	教	落	夫	音	弟	男	落	訪	同	各	己	帯	帯	覚	主	面	重	思	表	面	親	泳	折
161	214	276	53	265	53	180	25	74	38	135	281	76	145	171	171	145	106	132	109	62	128	132	67	90	167

おる	おろす	おれる	おわる	オン	おんな	【か】	カ	下	化	火	加	可	仮	何	花	価	果	河	科	夏	家	荷
降	折	織	折	下	降	終	音	恩	温	遠	女		下	化	火	加	可	仮	何	花	価	果	河	科	夏	家	荷
253	167	217	167	25	253	108	25	195	92	253	33		25	143	195	195	47	195	26	196	143	196	47	47	47	48	92

か	かい	ガイ	かいこ	かう						カイ				ガか								
貨	過	歌	課	日	我	芽	画	賀	回	灰	会	快	改	海	界	械	絵	街	開	階	解	貝	外	害	街	蚕	交
143	196	48	143	40	243	144	48	244	196	48	244	197	92	49	144	49	145	93	93	197	26	49	144	144	145	256	57

かえす	かえりみる	かえる	かえる	かお	かがみ	かかり	かかる	かかわる	かぎる	カク							かく	ガク
買	飼	返	帰	省	変	返	帰	顔	鏡	係	係	関	限	各	角	画	拡	客	革	格	覚	閣	確	欠	書	学
78	212	130	52	166	117	182	130	51	151	99	99	146	204	145	48	244	95	244	197	145	244	197	244	153	65	26

かける	かこう	かこむ	かさねる	かざ	かしら	かず	かぜ	かた	かぞえる			かたい	かたき	かたち	かたな	かたまる	かためる	かたらう	かたる	カツ	かつ
楽	額	欠	囲	囲	風	重	頭	貸	数	風	数	方	片	形	型	固	難	敵	形	刀	固	固	語	語	活	割	勝
50	198	153	141	141	80	109	224	67	80	67	81	280	54	153	155	275	226	75	155	155	56	56	50	245	111

(290)

音訓さくいん

カツ	割	59
ガッ	合	59
ガッ	月	28
かつぐ	担	270
かど	角	50
	門	83
かな	金	27
かなしい	悲	127
かなしむ	悲	127
かなでる	奏	268
かなめ	要	185
かならず	必	179
かね	金	27
かぶ	株	245
かまう	構	207
かまえる	構	207
かみ	紙	33
	上	62
	神	112
かよう	通	74
から	空	28
からだ	体	71
かり	仮	195
かりる	借	162
かるい	軽	99
かろやか	軽	99
かわ	川	36
	皮	126
かわる	変	117
代	182
カン	干	245
	刊	145
	完	146
	官	198
	巻	245
	看	146
	寒	50
	間	93
	幹	198
	感	94
	漢	198
	慣	146
	管	94
	関	146
	館	246
	簡	146
	観	112
	神	51
かん	丸	55
ガン	元	51
	岸	94
	岩	51
	眼	199
かんがえる【き】	考	58
	願	147
	顔	51
キ	己	252
	危	246
	机	246
	気	26
	希	147
	汽	51
	季	147
	紀	147
	記	52
	起	199
	帰	92
	基	199
	寄	199
	規	148
	喜	247
	揮	95
	期	148
	貴	148
	旗	148
	器	148
	機	42
き	木	42
	生	34
	黄	59
ギ	技	200
	義	200
	疑	247
	議	149
きえる	消	110
きく	利	186
	効	206
きこえる	聞	80
きざし	兆	173
きざす	兆	173
きざむ	刻	254
きし	岸	94
きず	傷	263
きずく	築	225
きせる	着	118
きそう	競	151
きたす	来	81
きたる	来	85
きぬ	絹	250
きびしい	厳	251
きまる	決	100
きみ	君	99
きめる	決	100
キャク	客	95
ギャク	逆	200
キュウ	九	27
	久	200
	弓	52
	旧	201
	休	27
	吸	247
	求	149
	究	95
	泣	149
	急	96
	級	149
	宮	96
	救	149
	球	96
	給	201
ギュウ	牛	150
きょ	去	201
	居	150
	挙	53
	許	150
ギョ	魚	166
	漁	54
きよい	清	150
キョウ	兄	53
	共	248
	京	151
	供	248
	協	248
	胸	202
	郷	53
	強	53
	教	203
	経	201
	境	207
	興	97
	橋	58
	鏡	54
	競	97
ギョウ	行	97
	形	97
	業	151
キョク	曲	166
	局	166
	極	27
きよまる	清	118
きよめる	清	69
きる	切	209
きれる	切	151
きわまる	極	151
きわみ	極	95
きわめる	究	151
	極	151
キン	今	60
	均	202

(291)

くち	くだる	くだり	くすり	くさ	グウ	くう	クウ	ク	グ									ク	ギン				キン	

【く】

口	下	管	薬	草	宮	食	空	具	庫	宮	紅	苦	供	句	功	区	工	口	久	九	銀	禁	筋	勤	金	近
29	25	146	132	37	96	66	28	98	100	96	253	98	248	202	155	98	57	29	200	27	98	202	249	248	27	54

グン	クン	くわわる	くわえる	くろい	くろ	くれる	くれない	くるま	くるしめる	くるしむ	くるしい	くらべる	くらう	くらい	くらい	くらも	くむ	くみ	くび	くばる	くに

郡	軍	訓	君	加	加	黒	黒	暮	紅	車	苦	苦	苦	来	比	暮	食	暗	位	蔵	倉	雲	組	組	首	配	国
152	152	152	99	143	143	60	60	281	253	32	98	98	98	85	229	281	66	88	141	269	169	46	70	70	64	124	59

ゲキ	ゲイ							ケイ		ゲ	け			ケ	

【け】

劇	芸	競	警	境	軽	景	敬	経	計	型	係	径	京	系	形	兄	解	夏	外	下	毛	家	気	仮	化	群
250	153	151	249	201	99	153	249	203	54	153	52	53	249	54	54	197	47	49	25	83	48	26	195	92	202

	ゲン							ケン	けわしい	ゲツ				ケツ	けす	

限	言	元	験	憲	権	絹	間	検	険	健	県	研	建	券	見	件	犬	険	月	潔	結	決	血	穴	欠	消	激
204	55	55	154	251	251	250	50	204	204	154	100	100	154	203	28	203	28	204	28	203	154	100	99	250	153	110	250

	ゴ		こ					コ						

【こ】

語	期	後	午	五	黄	粉	木	子	小	湖	庫	個	故	固	呼	古	去	戸	己	験	厳	源	減	眼	現	原
56	95	56	56	29	59	181	42	30	33	101	100	205	205	155	252	56	96	55	252	154	251	251	205	199	204	55

コウ

高	降	航	耕	校	格	候	紅	皇	後	厚	幸	効	孝	行	考	好	后	向	光	交	広	功	公	工	口	護	誤
58	253	156	206	29	197	155	253	253	56	206	101	206	253	58	58	155	252	101	58	57	57	155	57	57	29	205	252

(292)

●音訓さくいん●

ここのつ	九	27
ここの	九	27
ゴク	極	151
コク	穀	254
	黒	60
	国	59
	刻	254
	谷	59
	告	156
こおり	氷	35
こえる	肥	128
こえ	肥	230
	声	230
ゴウ	業	68
	郷	97
	強	248
	合	53
	号	59
こう	神	102
	講	112
	鋼	207
	興	254
	構	207
	鉱	207
	港	206
	黄	101
コウ	康	59
		156

ころも	衣	140
ころぶ	転	121
ころす	殺	158
ころげる	転	121
ころがる	転	121
ころがす	転	121
こやす	肥	230
こやし	肥	230
こめ	米	80
こむ	混	207
こまる	困	255
こまかい	細	60
こまか	細	60
このむ	好	155
こな	粉	181
ことわる	断	225
こと	異	242
	事	105
	言	55
コツ	骨	254
こたえる	応	194
	答	76
こたえ	答	76
こころよい	快	197
こころみる	試	161
こころざす	志	211
こころざし	志	211
こころ	心	66

〔さ〕

サイ	財	209
	殺	158
	妻	208
	災	208
	西	68
	再	208
	切	69
	才	60
ザ	座	255
	差	156
	砂	255
	査	208
	茶	72
	作	61
サ	再	208
	左	29
	厳	251
	権	251
	勧	248
	言	55
ゴン	混	207
	根	102
	建	154
	金	27
コン	困	255
こわ	今	60
	声	68

さいわい	幸	107
さか	逆	200
	坂	126
さかい	境	101
さかえる	栄	210
さかな	魚	200
さからう	逆	53
さかる	盛	271
さかん	盛	142
さき	先	201
サク	策	256
	昨	157
	作	61
	冊	256
ザイ	財	209
	材	157
	在	209
	際	209
	裁	256
	最	157
	菜	157
	細	60
	祭	102
	済	255
	採	209

さめる	冷	188
	覚	145
さむい	寒	93
さます	覚	145
さま	様	135
さばく	裁	256
さと	里	85
ザツ	雑	210
サツ	早	36
	察	158
	殺	158
	刷	158
	札	158
	冊	256
さち	幸	101
さだめる	定	120
さだまる	定	120
さだか	定	120
さずける	授	214
さずかる	授	214
さす	差	156
	指	104
さえる	支	211
さげる	提	225
	下	25
さけ	酒	107
さぐる	探	271
さくら	桜	195
さく	割	245

〔し〕

シ	死	103
	示	212
	矢	62
	市	61
	四	30
	司	160
	史	160
	仕	103
	氏	160
	止	61
	支	211
	子	30
	士	160
ザン	残	159
	賛	210
	酸	210
	算	61
	散	159
	産	159
	蚕	256
サン	参	159
	山	30
	三	30
さわる	障	263
さる	去	96
さら	皿	102
	覚	145

(293)

		ジ																		シ	

寺	字	地	示	仕	誌	飼	資	詩	試	歯	詞	視	紙	師	指	思	姿	枝	姉	始	使	私	志	至	自	糸	次
63	31	71	212	103	258	212	212	104	161	104	258	257	62	211	104	62	257	211	62	103	103	257	211	257	63	31	104

した / しずめる / しずまる / しずか / しず / ジキ / シキ / しいる / しあわせ / じ

下	静	静	静	静	食	直	識	織	色	式	潮	塩	強	幸	路	磁	辞	時	除	持	治	事	児	似	自	耳	次
25	166	166	166	166	66	73	213	217	66	105	273	142	53	101	137	258	161	63	263	105	161	105	161	212	63	31	104

シャ / しも / しめる / しめす / しみる / しまる / しま / しぬ / しな / しッ / ジツ / シツ / シチ / したしむ / したしい / したがえる / したがう

砂	者	舎	車	社	写	下	閉	示	染	染	閉	島	死	品	十	実	日	質	室	失	質	七	親	親	従	舌
255	106	213	32	64	106	25	280	212	267	267	280	122	103	129	32	105	40	213	63	162	213	31	67	67	261	261	220

シュウ / ジュ / シュ / ジャク / シャク

周	州	収	樹	就	授	従	受	種	衆	酒	修	首	取	守	主	手	着	弱	若	借	昔	赤	石	尺	謝	捨	射
162	107	260	259	260	214	261	107	162	260	107	214	64	107	106	106	32	118	64	259	162	114	35	35	259	213	259	258

ジュン / シュン / ジュツ / シュク / ジュク / シュク / ジュウ

順	純	春	術	述	出	熟	縮	宿	祝	縦	従	重	拾	住	中	十	集	衆	就	週	習	終	修	秋	祝	拾	宗
163	262	65	214	214	32	261	261	109	163	261	261	109	108	109	38	32	108	260	260	65	108	108	214	64	163	108	260

ショウ / ジョ / ショ

相	省	星	昭	政	青	松	招	承	性	声	生	正	少	小	上	除	序	助	女	諸	署	暑	書	所	初	処	準
114	166	68	110	218	35	163	215	215	218	68	34	34	65	33	33	263	215	110	33	262	262	110	65	109	163	262	215

(294)

●音訓さくいん●

							ジョウ														ショウ	
盛	情	常	城	乗	定	状	条	成	上	賞	精	障	照	傷	象	証	装	焼	勝	章	清	商	唱	笑	消	従	将
265	217	216	264	111	120	216	216	166	33	165	218	263	165	263	164	216	268	164	111	111	166	111	164	164	110	261	263

				シン	しろい		しろ	しるし	しる	しりぞける	しりぞく	しらべる	しら			ショク					
深	針	真	神	信	臣	身	申	心	白	城	白	代	記	印	知	退	退	調	白	職	織	植	食	色	静	蒸	場
113	264	113	112	165	165	112	112	66	41	264	41	117	52	141	72	224	224	120	41	217	217	112	66	66	166	264	66

すえ	すう	スウ	すい		スイ		ズ	す		ス	【す】			ジン						
末	吸	数	酸	推	垂	出	水	頭	事	豆	図	巣	州	数	素	守	主	子	神	臣	仁	人	親	新	森	進
183	247	67	210	265	265	32	34	76	105	122	67	169	107	67	221	106	106	30	112	165	264	34	67	33	113

セ	スン	すわる	する	すむ	すみやか	すます	すべる	すべて	すなる	すてる	すすめる	すむ	すじ	すこやか	すごし	すこ	すける	すぐれる	すくない	すくう	すぎる	すがた	【せ】
世		寸	座	刷	済	住	速	炭	済	住	統	全	砂	捨	進	進	筋	健	過	少	助	優	少	救	好	過	姿
113		265	255	158	255	109	115	118	255	109	226	114	255	259	113	113	249	154	196	65	110	284	65	149	155	196	257

セキ	ゼイ	せい																				セイ
夕	説	税	背	整	静	製	精	誠	聖	勢	晴	盛	清	情	省	星	政	青	性	制	声	西	成	生	正	世	背
35	168	219	277	114	166	219	218	266	266	218	68	265	166	217	166	218	35	218	217	68	68	166	34	34	113	277

		セン	ぜる	せめる	ゼツ					セツ	セチ	せき								
泉	専	宣	先	川	千	競	責	銭	絶	舌	説	節	雪	設	接	殺	折	切	節	関	績	積	責	席	昔	赤	石
267	266	266	36	36	36	151	219	221	220	220	168	167	69	220	220	158	167	69	167	146	219	167	219	167	114	35	35

(295)

【そ】

ソウ	ソ		ゼン			セン		

窓 巣 倉 送 草 相 奏 宗 走 争 早 想 組 素 祖　然 善 前 全 線 選 銭 戦 船 染 洗 浅
268 169 169 115 37 114 268 260 70 169 36 115 70 221 221　169 267 70 114 69 168 221 168 69 267 267 168

そこねる そこなう そこ　ゾク　　ソク そうろう　　ゾウ そう

損 損 底 続 属 族 測 側 速 息 則 足 束 候 臓 蔵 雑 増 像 象 造 沿 操 総 層 想 装 創
223 223 173 170 223 116 223 170 115 115 222 37 170 155 269 269 210 222 222 164 222 243 269 221 269 115 268 268

【た】

タ　ゾン　　ソン そる そらす　そめる そむける そむく そまる その そなわる そなえる そと ソツ そだてる そだつ そそぐ

多 他 太　存 損 尊 孫 村 存 反 反 空 染 初 背 背 染 園 備 備 供 外 率 卒 育 育 注
70 116 71　270 223 270 171 37 270 126 126 28 267 163 277 277 267 46 230 230 248 49 223 170 89 89 119

たかめる たかまる たかい たえる たいら　　ダイ　　　タイ ダ た

高 高 高 高 絶 平 題 第 弟 台 代 内 大 態 隊 貸 帯 退 待 対 体 台 代 太 大 打 田 手
58 58 58 58 220 130 117 117 74 71 117 77 37 224 171 224 171 224 117 116 71 71 117 71 37 116 39 32

たて たっとぶ たっとい たつ タッ ただちに ただす ただしい たたかう たずねる たすける たすかる だす たす たしかめる たしか たけ たぐい タク たから たがやす

縦 尊 貴 尊 貴 裁 絶 断 建 立 達 直 正 正 戦 訪 助 助 出 足 確 確 竹 類 度 宅 宝 耕
261 270 247 270 247 256 220 225 154 43 171 73 34 34 168 281 110 110 32 37 197 197 38 187 122 270 281 206

タン たわら たれる たりる たらす たより たやす たもつ ためす たまご たま たべる たび たば たのしむ たに たね たとえる たてる

炭 単 担 反 俵 垂 足 足 垂 便 絶 保 試 民 卵 球 玉 食 旅 度 束 楽 楽 種 谷 例 建 立
118 172 270 126 230 265 37 37 265 182 220 233 161 184 285 96 27 66 136 122 170 50 50 162 59 188 154 43

(296)

●音訓さくいん●

ちぢまる	ちち	チク	ちから	ちいさい	ち			チ【ち】			ダン	タン
縮	乳	父	築	竹	力	近	小	乳	血	千	質	置	値	知	治	池	地		談	暖	断	段	男	団	誕	短	探
261	275	79	225	38	43	54	33	275	99	36	213	172	272	72	161	72	71		118	271	225	271	38	224	271	118	271

						チョウ	チョ				チュウ	チャク	チャ	ちぢれる	ちぢめる	ちぢむ
潮	腸	朝	鳥	頂	張	帳	重	長	町	兆	庁	丁	貯	著	昼	柱	注	忠	宙	虫	仲	中	着	茶	縮	縮	縮
273	173	73	73	273	225	119	109	73	39	173	273	119	172	272	72	119	119	272	272	38	172	38	118	72	261	261	261

つくる	つくえ	つぐ		つく	つぎ	つき	つかう	ツウ	ついやす	ついえる	ツイ		ツ【つ】	チン	ちる	ちらす	ちらかる	ちらかす	チョク
造	作	机	接	次	着	就	付	次	月	仕	使	痛	通	費	費	追	対	都	通		賃	散	散	散	散	直	調
222	61	246	220	104	118	260	180	104	28	103	103	274	74	178	178	120	116	121	74		273	159	159	159	159	73	120

つら	つよい	つよまる	つもる	つめたい	つむ	つみ	つま	つの	つね		つとめる		つとまる	つどう	つむ	つける	つく	つたわる	つたえる	つたう	つげる		つける
面	強	強	積	冷	積	罪	妻	角	常	勤	務	努	勤	務	集	包	続	続	土	伝	伝	伝	告	着	就	付	創
132	53	53	167	188	167	210	208	50	216	248	235	175	248	235	108	182	170	170	39	174	174	174	156	118	260	180	268

テン	でれる	てる	てらす	てら	テツ		テキ								ティ	デ		テ【て】	つれる	つらねる	つらなる
典	天	照	出	照	照	寺	鉄	敵	適	笛	的	程	提	停	庭	底	定	弟	低	体	丁	弟	手		連	連	連
174	39	165	32	165	165	63	121	226	226	121	174	226	225	174	120	173	120	74	173	71	119	74	32		189	189	189

		トウ	とい		ド	と					ト【と】		デン
東	豆	投	灯	当	冬	刀	問	度	努	土	戸	十	頭	登	都	徒	度	図	土		電	伝	田	転	展	点	店
76	122	122	175	75	75	75	132	122	175	39	55	32	76	123	121	175	122	67	39		75	174	39	121	274	74	74

(297)

トウ	島	122
	納	276
	党	274
	討	274
	道	77
	湯	123
	登	123
	答	76
	等	123
	統	226
	読	275
	糖	77
	頭	132
	問	76
	同	123
ドウ	動	124
	堂	77
	童	176
	道	175
	働	124
	銅	227
とうとい	導	227
	尊	270
とうとぶ	貴	247
	尊	270
とうとい	貴	247
とお	十	32
とおい	遠	47

とおす	通	74
とおる	通	197
とかす	解	63
とき	時	176
トク	特	176
	得	227
	徳	168
	読	100
	解	197
	説	176
	研	227
とく	毒	77
どく	独	216
	読	197
とける	解	109
ところ	所	280
とこ	閉	40
とし	年	280
とじる	閉	275
とどける	届	275
とどく	届	120
ととのう	調	114
ととのえる	調	120
となえる	整	114
とばす	唱	164
	飛	178

とまる	止	61
とみ	富	232
とむ	富	232
とめる	止	61
とも	友	237
	共	84
	供	150
とり	鳥	248
とる	取	107
	採	73
トン	団	209
	問	224

【な】

ナ	納	132
な	南	77
	名	276
	菜	42
ナイ	内	157
	亡	281
ない	無	184
なおす	治	161
	直	73
なおる	治	73
	直	161
なか	中	38

ながい	永	172
	長	192
ながす	流	73
ながれる	流	135
なかば	半	79
なく	泣	149
	鳴	83
なげる	投	122
なごむ	和	137
なごやか	和	137
なさけ	情	217
なつ	夏	166
ナッ	納	276
なな	七	31
なに	何	31
なの	七	47
なま	生	34
なみ	波	124
ならう	習	108
ならす	慣	198
	鳴	83
ならびに	並	279
ならぶ	並	279
ならべる	並	279

【に】

に	荷	166
	成	166
にい	新	67
にがい	苦	98
にがる	苦	98
ニク	肉	78
にし	西	68
ニチ	日	40
になう	担	259
ニャク	若	40
ニュウ	乳	33
ニョ	女	33
ニョウ	女	212
にる	似	120
ニン	人	34
	任	228
	認	276

【ぬ】

ぬし	主	106
ぬの	布	231

【ね】

ね	音	25
	値	272
	根	102
ねがう	願	147
ネツ	熱	177
ねる	練	137
ネン	年	40
	念	177
	然	169
	燃	228

【の】

の	野	84
ノウ	納	276
	能	228
	脳	228
	農	124
のこす	残	159
のこる	残	159
のせる	乗	111
のぞく	除	263
のぞむ	望	183
	臨	286

(298)

音訓さくいん

バイ	梅	177
ばい	倍	125
—	売	78
ハイ	灰	244
—	敗	177
—	配	124
—	俳	277
—	肺	277
—	背	277
—	拝	277
ばい	場	66
バ	馬	78
は	歯	104
—	葉	134
—	羽	46
は	破	228
ハ	派	276
—	波	124
【は】		
のる	乗	111
のむ	飲	90
のぼる	登	123
—	上	33
のべる	述	214
—	延	243
のびる	延	243
のばす	延	243
のち	後	56

はじめ	初	163
はじまる	始	103
はし	橋	97
はこぶ	運	90
はこ	箱	125
ばける	化	92
はげしい	激	250
はぐくむ	育	89
バク	暴	235
—	幕	282
—	博	178
ハク	麦	79
—	博	178
—	白	41
はかる	量	187
—	測	223
—	計	54
はからう	図	67
はかる	計	54
はか	墓	254
はがね	鋼	92
ばかす	化	234
はか	栄	142
はえる	映	243
—	生	34
はえ	栄	142
はいる	入	40
—	買	78

はは	母	81
はね	羽	46
はなれる	放	131
はなつ	放	131
はなす	話	85
—	放	131
はなし	話	85
はな	鼻	127
—	花	26
はてる	果	143
はて	果	143
バッ	末	183
ハッ	法	182
—	初	163
ハツ	発	125
ハチ	八	41
はたらく	働	176
はたす	果	143
はた	畑	125
はたけ	機	148
—	旗	148
—	畑	125
はずれる	外	49
はずす	外	49
はしる	走	70
はしら	柱	119
はじめる	始	103
はじめて	初	163

バン	晩	278
—	板	126
—	判	229
—	万	82
—	飯	178
—	班	278
—	版	229
—	板	126
—	坂	126
—	判	229
ハン	犯	229
—	半	79
—	反	126
はれる	晴	68
はる	春	65
—	張	225
はり	針	264
はらす	晴	68
はら	腹	279
—	原	55
はやめる	速	115
—	早	36
はやまる	速	115
はやし	林	43
はやい	速	115
—	早	36
はぶく	省	166

ひくめる	低	173
ひくい	低	173
ひく	低	173
—	引	46
ひきいる	率	223
ひかり	光	58
ひかる	光	58
ひがし	東	76
ひえる	冷	188
ビ	鼻	127
—	備	230
—	美	127
ひ	灯	175
—	氷	128
—	火	25
—	日	40
ヒ	費	178
—	悲	127
—	秘	279
—	飛	178
—	非	230
—	肥	230
—	批	278
—	否	278
—	皮	126
—	比	229
【ひ】		
—	番	79

ひら	平	130
ビョウ	病	128
—	秒	128
—	平	130
—	標	179
—	評	231
—	票	179
ヒョウ	俵	230
—	表	128
—	兵	181
ひやす	氷	128
—	冷	188
ビャク	白	41
ひゃく	百	41
ひやめる	冷	188
ひとり	独	279
ひとつ	一	24
ひとしい	等	123
—	一	24
ひと	人	34
ひつじ	羊	134
ヒツ	筆	127
ひだり	左	179
ひたい	額	29
ひさしい	久	198
ひける	左	200
—	引	46

(299)

ひらける	ひらく	ひる	ひろい	ひろう	ひろがる	ひろまる	ヒン	ビン		フ【ふ】														ブ
開	開	昼	広	拾	広	広	品	貧	便	貧	不	夫	父	付	布	府	歩	負	風	婦	富	不	分	武	歩
93	93	245	72	108	57	57	129	231	182	231	231	179	180	179	180	129	80	231	232	179	80	232	81

ふける	ふせぐ	ふた	ふだ	ふたたび	ふたつ	ブツ	ふで	ふとい	ふとる				フク	ふえ	ふかい	ふかまる	ふかめる							フウ
部	無	夫	風	富	笛	増	深	深	深	服	副	復	福	腹	複	老	節	防	二	札	再	二	仏	物	筆	太	太
129	184	180	80	232	121	222	113	113	113	129	180	232	189	279	167	234	40	208	40	233	130	127	71	71

ふな	ふね	ふみ	ふゆ	ふる	ふるい	ふるう	ふるす		フン		ブン		ベ【へ】	ヘイ					ベイ	ベツ	ベに	へらす	へる
船	船	文	増	冬	降	古	奮	古	分	粉	奮	分	文	聞	辺	平	兵	並	陛	病	閉	米	別	紅	減	経
69	69	41	222	75	253	56	279	56	80	181	279	80	41	80	181	130	181	279	280	128	280	80	181	253	205	203

ほ	ほか	ほがらか	ホク	ボク					ほし	ほしい	ほそい	ホッ	ホッする	ほど	ほとけ	ほね	ホン	ま【ま】
減	片	辺	返	変	編	弁	便	勉	歩	保	補	火	母	墓	暮	模	方	包	宝	放	法	訪	報	豊	亡	忘
205	280	181	130	182	233	233	182	131	81	233	280	25	81	234	281	283	81	182	281	131	281	182	234	234	281	282

目		本	ほか	外	他	朗	北	木	ホク	ボク	ほしい	ほし	ほしい	細	細	発	法	欲	程	仏	骨	反	本	ま
目		本	反	骨	仏	程	欲	法	発	細	細	干	欲	星	牧	目	木	北	朗	他	外	放	暴	貿	棒	望	防
42		42	126	254	233	226	284	182	125	60	60	245	284	68	183	42	42	81	286	116	49	131	235	235	282	183	234

ます	まじわる	まじる	まざる	まさる	まさ	まこと	まご	まげる	まける	まく	マク	まき	まがる	まかせる	まかす	まえ	まいる		マイ
増	交	混	交	混	勝	正	誠	孫	曲	負	巻	幕	巻	牧	曲	任	任	負	前	参	枚	妹	毎	米	間	馬	真
222	57	207	57	207	111	34	266	171	97	129	245	282	245	183	97	228	228	129	70	159	282	82	82	80	50	78	113

(300)

●音訓さくいん

まずしい	貧	231
まぜる	混	207
まち	町	145
	街	163
マツ	松	117
まつ	待	114
まったく	全	218
まつりごと	政	102
まつり	祭	102
まつる	祭	102
まと	的	268
まど	窓	199
まなこ	眼	215
まなぶ	学	26
まねく	招	122
まめ	豆	106
まもる	守	236
まよう	迷	236
まるい	丸	51
	円	51
まるめる	丸	51
まわす	回	24
まわり	周	48
まわる	回	162
マン	万	48
	満	82
		183

【み】

ミ	未	
み	味	184
	三	131
みあげる	身	30
	実	112
みき	見	105
みえる	幹	28
みぎ	右	198
みさお	操	269
みじかい	短	24
みず	水	118
みずうみ	湖	34
みせ	店	101
みせる	自	63
みたす	満	74
みだれる	乱	183
みち	道	285
みちびく	導	285
ミツ	三	227
みつ	密	77
みっつ	三	183
みとめる	認	30
みどり	緑	30
みなと	港	283
		276
		136
		101

【む】

みなみ	南	77
みなもと	源	251
みのる	実	105
ミャク	脈	31
みや	宮	184
みやこ	都	96
ミョウ	名	121
	命	42
	明	184
みる	見	28
ミン	民	82
ム	務	184
	無	235
	夢	232
む	六	235
むい	六	43
むかう	向	43
むかし	昔	101
むぎ	麦	114
むく	向	79
むける	向	234
	報	101
むこう	向	101
むし	虫	101
むす	蒸	38
		264

【め】

むずかしい	難	275
むすぶ	結	154
むっつ	六	43
		43
むな	胸	248
むね	胸	248
むら	村	37
むらす	群	202
むれ	群	264
むれる	群	202
	蒸	202
	群	264
むろ	室	63
め	女	33
	芽	42
	目	144
メイ	名	42
	命	131
	明	82
	迷	236
	盟	283
めし	飯	178
メン	鳴	83
	面	132
	綿	236

【も】

モ	模	283
モウ	亡	281
	毛	83
	望	183
	設	220
もうける	申	112
もえる	燃	228
モク	木	42
	目	42
もす	燃	228
もちいる	用	84
モツ	物	105
もっとも	最	130
もっぱら	専	157
もと	下	266
	元	25
	本	55
	基	199
もとい	基	199
もとめる	求	149
もの	物	130
	者	106
もやす	燃	228
もり	守	106
	森	33
もる	盛	265
モン	文	41
	門	83
	問	132
	聞	80

【や】

ヤ	夜	83
や	野	84
	矢	41
	八	62
	屋	91
やかた	家	48
ヤク	役	94
	約	132
	益	185
	訳	193
やく	薬	283
	焼	132
やける	焼	164
やさしい	易	164
	優	193
やしなう	養	284
やしろ	社	185
やすい	安	64
やすまる	休	88
やすむ	休	27
やすめる	休	27
やっつ	八	27
		41
		41

(301)

			ユウ	ユイ	ゆ			ユ	【ゆ】	やわらげる	やわらぐ	やめる	やむ	やまい	やま	やぶれる	やぶる	やどす	やどる	やど
優	遊	郵	勇	有	由	右	友	遣	由	湯	輪	遊	油	由		和	和	辞	病	病	山	敗	破	破	宿	宿	宿
284	133	284	185	133	133	24	84	242	133	123	236	133	133	133		137	137	161	128	128	30	177	228	228	109	109	109

				ヨウ	よい			よ			ヨ	【よ】	ゆわえる	ゆるす	ゆめ	ゆみ	ゆび	ゆだねる	ゆたか	ゆく	ゆき	ゆえ	ゆう
容	要	洋	羊	用	幼	善	良	夜	四	代	世	預	余	予		結	許	夢	弓	指	委	豊	行	雪	故	夕	結
237	185	134	134	84	284	267	186	83	30	117	113	237	236	134		154	201	235	52	104	89	234	58	69	205	35	154

ライ		よん	よわる	よわめる	よわまる	よわい	よろこぶ	よる		よる	よむ	よぶ	よっつ	よつ	よせる	よし	よこ			ヨク	よう
【ら】
礼		四	弱	弱	弱	弱	喜	夜	寄	因	読	呼	四	四	装	寄	由	横	翌	欲	浴	八	曜	養	様	陽	葉
136		30	64	64	64	64	148	83	199	192	77	252	30	30	268	199	133	91	285	284	186	41	84	185	135	135	134

				リョウ	リョ			リュウ	リャク			リツ	リチ	リク	リキ			リ		ラン	ラク
【り】
領	漁	量	料	良	両	旅	留	流	立	略	率	律	立	律	陸	力	裏	理	里	利		覧	卵	乱	楽	落	来
238	150	187	187	186	136	136	237	135	43	237	223	286	43	286	186	43	286	85	85	186		285	285	285	50	135	85

ロン		ロク		ロウ	ロ		レン	レツ	レキ		レイ	ルイ	ル			リン	リョク
						【ろ】				【れ】			【る】				
論	録	緑	六	朗	労	老	路		練	連	列	歴	例	冷	礼	令		類	留	流		臨	輪	林	緑	力
287	189	136	43	286	189	189	137		137	189	137	188	188	188	136	188		187	237	135		286	187	43	136	43

	われる	われ	わるい	わる	わり	わらべ	わらう	わたし	わたくし	わすれる	わざわい	わざ	わける	わけ	わかれる	わかる	わかい	わ	ワ
																			【わ】
	割	我	悪	割	割	童	笑	私	私	綿	忘	災	業	技	分	訳	別	分	若	輪	我	話	和
	245	243	88	245	245	124	164	257	257	236	282	208	97	200	80	283	181	80	259	187	243	85	137

(302)

いっしょに読もう!!
この本と合わせて楽しめる漢字の本のご紹介!

同じページを開くとその漢字の「書き方」がわかるから、とても便利!!

● 国語おもしろ攻略
歌って書ける小学漢字 1006

漢字の書き順を、歌って楽しくおぼえられる! 全304ページ。

- ■キャラクター原作／藤子・F・不二雄
- ■まんが監修／藤子プロ
- ■監修／下村　昇（現代子どもと教育研究所）
- ■企画・構成／下村　知行
- ■まんが・イラスト／ふじあか正人
- ■表紙デザイン／横山　和忠
- ■本文デザイン／設樂　満
- ■DTP／株式会社　昭和ブライト
- ■編集担当／杉本　隆

Ⓒ藤子プロ
Ⓒ現代子ども教育研究所・下村教育企画

ドラえもんの学習シリーズ
ドラえもんの国語おもしろ攻略
絵で見ておぼえる小学漢字1006

2015年1月26日　初版　第1刷発行	発行者　杉本　隆
2017年12月6日　　　　　第4刷発行	発行所　株式会社 小学館

東京都千代田区一ツ橋2-3-1　〒101-8001
電話・編集／東京03（3230）9349
販売／東京03（5281）3555

印刷所　図書印刷株式会社
製本所　株式会社若林製本工場

Ⓒ小学館　2015　Printed in Japan
- 造本には十分注意しておりますが、印刷、製本など製造上の不備がございましたら「制作局コールセンター」（フリーダイヤル0120-336-340）にご連絡ください。(電話受付は、土・日・祝休日を除く9：30～17：30)
- 本書の無断での複写（コピー）、上演、放送等の二次利用、翻案等は、著作権法上の例外を除き禁じられています。
- 本書の電子データ化等の無断複製は著作権法上での例外を除き禁じられています。代行業者等の第三者による本書の電子的複製も認められておりません。

ISBN978-4-09-253868-9